영재
사고력수학
필즈

베이직 상

CONTENTS

서문

이 책을 공부하게 될 친구들에게

저자는 영재교육원 관찰추천제를 대비하기 위한 「필즈수학」 시리즈를 출판하였고, 창의적 문제해결력을 기르고, 영재교육원 대비에 도움이 될 수 있도록 관찰추천제 가이드 북을 제시하였습니다.

「필즈수학」 시리즈는 수학에 대한 호기심이 있는 학생들이라면 도전해 보고 싶은 주제들로 구성되어 있고, 교재의 수준과 깊이에서 일정 수준 이상의 개념과 수학적 경험을 갖춘 학생들이라면 접근해 볼 수 있는 면이 있어 영재교육원을 준비하지 않더라도 상위권 학생들을 중심으로 꾸준한 사랑을 받고 있습니다.

이러한 이유로 많은 학생들과 학부모들이 기존 「필즈수학」 시리즈로 공부할 수 있는 학생들보다 좀 더 어린 학생들을 대상으로 하는 교재의 출판을 바라왔습니다. 이러한 요구를 반영해 수와 연산, 패턴, 도형, 측정, 문제 해결 방법 등을 주제로 하는 유년기 또는 초등 저학년 학생들을 위한 「필즈 베이직」 시리즈를 내놓게 되었습니다.

수학은 위계의 학문입니다. 하위 개념에 대한 정확한 이해 없이 상위 개념을 접하게 되면 언제든지 무너질 수 있는 학문이라는 뜻입니다. 이 문제는 유사 문항을 단순 반복하여 여러 번 풀어본다고 해결되지 않으며, 무의미한 반복과 과도한 학습량은 오히려 수학에 대한 흥미를 떨어뜨려 수학 공부에 방해가 될 수 있습니다. 또한, 수학적 사고력은 개념 ➡ 기본 ➡ 응용 ➡ 심화와 같이 선형적으로 발전하지도 않습니다. 스스로 부딪쳐서 해결하는 과정에서 개념을 더 완벽히 이해할 수 있고, 깊이 있는 문제를 접하며 논리적 도약을 이뤄낼 수 있을 때 수학적 사고력이 발전하는 것입니다. 수학은 많은 학부모들이 오해하듯이 '선천적 재능을 타고나야 잘할 수 있는 과목'이 아닙니다. 아이들에게 환경과 기회를 어떻게 제공했는지에 따라 아이들의 수학 실력은 달라질 수 있습니다.

「필즈 베이직」 시리즈는 유년기와 초등 저학년 학생들이 무엇을 가지고 어떻게 수학을 시작해야 하는지를 제시하고, 수학적 사고력을 길러 상위 개념으로, 다음 과정으로 진입할 수 있게 하는 마중물이 될 것입니다.

강신흥

이 책의 구성과 특징

유형 제시

어떤 문제를 공부하게 될까?

단원의 대표적인 사고력 문제 유형을 아이들의 대화를 통해 딱딱하지 않게 제시함으로써 학생들이 좀 더 재미있고 쉽게 이해할 수 있도록 도와줍니다.

대표 문제

문제를 어떻게 접근해야 할까?

문제 해결의 핵심을 알려줌으로써 어려워 보이는 문제를 편하게 접근할 수 있는 친절한 선생님의 역할을 합니다.

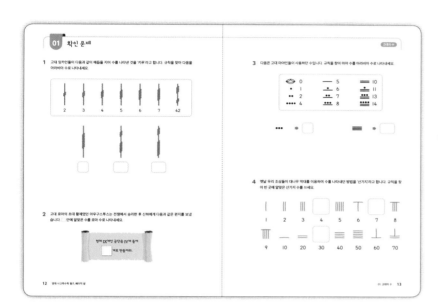

확인 문제

혼자서 해결하자!

유형 제시와 대표 문제에서 만난 문제들이 다양한 형태로 변형되어 나옵니다. 변형된 여러 문제들을 학생이 혼자 해결해봄으로써 해당 문제 유형의 이해를 높입니다.

심화 문제

실력을 높이자!

기존 학습 문항들보다 난이도가 높은 문항에 도전하고 해결하는 과정에서 학생의 과제집착력을 기르고, 성취감을 맛볼 수 있게 합니다.

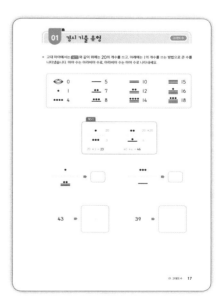

경시 기출 유형

도전!!

기존 경시대회 문제들과 유사한 형태의 문제를 해결하는 과정에서 다양한 각도에서 문제를 접근하고 수학적 해결 전략을 구사하는 능력을 향상시킵니다.

영재사고력수학 필즈 로드맵

예비 초등학생과
초등학교 저학년을 위한 **[필즈수학] 시리즈**

교재	예비 초등학생, 초등학교 1학년을 위한 **킨더**	초등학교 1, 2학년을 위한 **베이직**	초등학교 2, 3학년을 위한 **입문**
상	모으기와 가르기	고대의 수	마방진
	덧셈식과 뺄셈식	수와 숫자	조건에 맞는 수
	목표수 만들기	카드로 만든 수	복면산과 도형이 나타내는 수
	줄서기	수 퍼즐	곱셈구구
	모양 패턴	여러 가지 패턴	수열
	증감 패턴	이중패턴과 □번째 모양	수 배열의 규칙
	수 배열표	유비추론	도형 패턴
중	전체와 부분	색종이 접고 자르기	도형의 개수
	모양 겹치기	도형의 연결	도형 붙이기
	길이와 들이 비교	길이 비교	쌓기나무
	달력	무게 비교	잴 수 있는 길이
	선 잇기 퍼즐	포함 관계	간격과 개수
	이동 경로	님 게임	여러 가지 방법으로 해결하기
	가위바위보	동전과 성냥개비	재치있게 해결하기
하	□가 있는 식	성냥개비 연산	어떤 수 구하기1
	가로세로 수 퍼즐	홀수와 짝수	연속수의 합
	주고 받기	연산 퍼즐	수 만들기
	연산 규칙	약속 연산	어떤 수 구하기2
	속성	표와 그래프	길의 가짓수
	위치와 순서	가능성	리그와 토너먼트
	색칠하기	방법의 가짓수	논리 추리

초등학교 고학년을 위한 [필즈수학] 시리즈

교재	초등학교 3, 4학년을 위한 초급	초등학교 4, 5학년을 위한 중급	초등학교 5, 6학년을 위한 고급
상	연속수	대칭수	연속수의 성질
	숫자 카드	수와 숫자의 개수	수와 숫자의 합
	가장 큰 곱 만들기	연속수의 합으로 나타내기	배수판정법
	도형이 나타내는 수	포포즈	약수의 개수
	벌레 먹은 셈	크기가 같은 분수	끝수와 0의 개수
	숫자의 개수	복면산	수와 식 만들기
	마방진	여러 가지 마방진	진법 활용
	도형 붙이기	도형 나누기와 맞추기	타일 붙이기
	주사위	도형의 개수	직육면체
	거울에 비친 모양	점을 이어 만든 도형의 개수	입체도형
	원	정육면체	쌓기나무
	가로수와 통나무	나이	뉴튼산
	가정하여 풀기	포함과 배제	거꾸로 생각하기
	저울을 이용하여 풀기	나머지	작업 능률
	재치있게 풀기	속력	극단적으로 생각하기
하	쌓기나무	붙여 만든 도형의 둘레	단위넓이의 활용
	덮기와 넓이	달력	겹쳐진 부분의 넓이
	색종이 자르기와 접기	평행과 도형의 내각	도형의 둘레와 넓이
	눈금없는 길이와 무게	바닥깔기	등적 분활
	모래시계	접기와 각	삼각형을 이용한 각도 구하기
	도형 유추	시계와 각	고장난 시계
	패턴	규칙 찾아 도형의 개수 세기	피보나치 수열
	간단한 수열	교점과 영역의 개수	여러 가지 수열의 활용
	간단한 규칙 찾기	수의 배열의 규칙	복잡한 규칙
	규칙 찾아 간단하게 계산하기	약속	그래프 읽기
	리그와 토너먼트	지불할 수 없는 동전	색칠하기
	최단거리	무게가 다른 금화 찾기	여러 가지 경우의 수
	논리 추리	연역적 논리	입체에서의 최단거리
	한붓그리기	비둘기 집	홀수 짝수
	성냥개비	님 게임	참말족과 거짓말족

01

고대의 수

개념 01 고대의 수

지호 　 예원

Math storyteller

 : 지호야 '수'는 어떻게 생겨났을까?

 : 오랜 옛날 사람들이 사냥한 동물의 수를 세면서 '수'가 생겨났다고 해.

 : 옛날 사람들은 어떤 수를 사용했을까?

 : 처음에는 하나, 둘만 알고 둘보다 많으면 많다고 생각했다고 해. 그러다 사냥한 동물의 뼈나 나무에 눈금을 새겨 수를 나타내기 시작한 거지. 어떤 사람들은 손가락이나 몸의 일부를 수와 연관 지어 수를 세는 사람들도 있었어.

 : 큰 수를 나타내기는 힘들었겠다.

 : 그렇지! 그래서 지금 우리가 사용하는 아라비아 수가 탄생하게 된 거야.

● 남태평양의 뉴기니 섬에 살고 있는 파푸스족은 오른쪽과 같이 몸의 각 부분을 사용하여 수를 나타냅니다. 파푸스족의 방법으로 나타낸 민서 오빠의 나이는 몇 살일까요?

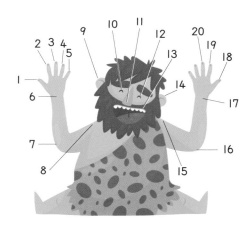

민서 오빠는 9살이니까 파푸스족 수로 '오른쪽 귀'살이구나.

지한

아니야. 우리 오빠의 나이는 '코'살이야.

민서

고대 이집트에서는 다음과 같은 수를 사용했습니다. **보기**를 보고 규칙을 찾아 아라비아 수를 이집트 수로 나타내세요.

| | 1 | 2 | 3 | 4 | 5 | 6 | 7 | 8 | 9 | 10 | 100 | 1000 |

보기

35 ➡

18 ➡

124 ➡

이집트 수로 나타내는 방법

57   10이 **5**개, 1이 **7**개인 수 ➡

213   100이 **2**개, 10이 **1**개, 1이 **3**개인 수 ➡

1. 고대 이집트에는 1, 10, 100, 1000을 나타내는 숫자만 있었습니다.

2. 고대 이집트에서 2를 나타낼 때에는 1을 나타내는 숫자를 2번, 20을 나타낼 때에는 10을 나타내는 숫자를 2번 씁니다.

예제 1

고대 이집트 수의 규칙을 찾아 이집트 수를 아라비아 수로 나타내세요.

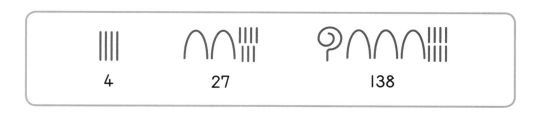

예제 2

다음 식의 계산 결과를 이집트 수로 쓰세요.

다음은 고대 로마에서 사용되던 수입니다. **보기** 를 보고 규칙을 찾아 아라비아 수를 로마 수로 나타내세요.

I	II	III	IV	V	VI	VII	VIII	IX	X	L	C	D	M
1	2	3	4	5	6	7	8	9	10	50	100	500	1000

보기

29 ➡ XXIX

32 ➡

56 ➡

로마 수로 나타내는 방법

$$IV \xleftarrow{-1} V \xrightarrow{+1} VI \qquad IX \xleftarrow{-1} X \xrightarrow{+1} XI$$
$$4 \qquad 5 \qquad 6 \qquad\qquad 9 \qquad 10 \qquad 11$$

1. 고대 로마에서는 5(V), 10(X)을 나타내는 수의 왼쪽에 1을 나타내는 수(I)를 써서 1 작은 수인 4(IV), 9(IX)를 나타냈습니다.

2. 고대 로마에서는 5(V), 10(X)을 나타내는 수의 오른쪽에 1을 나타내는 수(I)를 써서 1 큰 수인 6(VI), 11(XI)을 나타냈습니다.

예제 1

다음을 보고 로마 수를 아라비아 수로 나타내세요.

I	II	III	IV	V	VI	VII	VIII	IX	X	L
1	2	3	4	5	6	7	8	9	10	50

XXIV ➡ ☐

LIII ➡ ☐

예제 2

다음은 로마 수로 수를 뛰어 센 것입니다. 빈칸에 알맞은 수를 로마 수로 쓰세요.

I ➡ IV ➡ VII ➡ X ➡ XIII ➡ ☐

1 고대 잉카인들이 다음과 같이 매듭을 지어 수를 나타낸 것을 '키푸'라고 합니다. 규칙을 찾아 다음을 아라비아 수로 나타내세요.

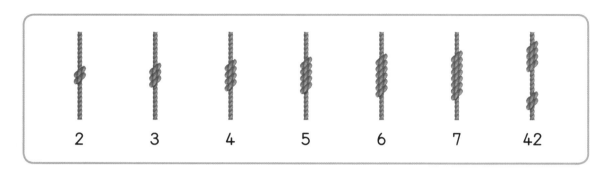

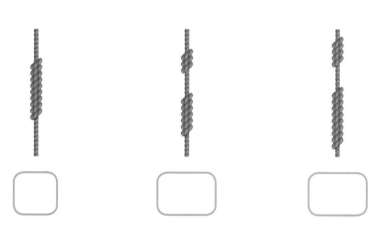

2 고대 로마의 초대 황제였던 아우구스투스는 전쟁에서 승리한 후 신하에게 다음과 같은 편지를 보냈습니다. ☐ 안에 알맞은 수를 로마 수로 나타내세요.

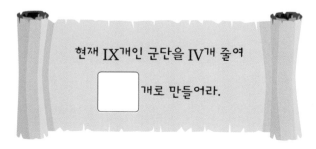

현재 IX개인 군단을 IV개 줄여

☐ 개로 만들어라.

3 다음은 고대 마야인들이 사용하던 수입니다. 규칙을 찾아 마야 수를 아라비아 수로 나타내세요.

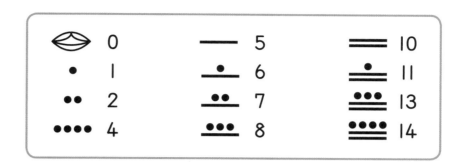

4 옛날 우리 조상들이 대나무 막대를 이용하여 수를 나타내던 방법을 '산가지'라고 합니다. 규칙을 찾아 빈 곳에 알맞은 산가지 수를 쓰세요.

│	‖	‖‖		‖‖‖	⊤		⫪
1	2	3	4	5	6	7	8

⫫	—	=		☰	☰	⊥	⊥
9	10	20	30	40	50	60	70

5 친구들이 쓴 로마 수 중 가장 큰 수와 가장 작은 수의 차를 아라비아 수로 쓰세요.

I	II	IV	V	VII	IX	X	L
1	2	4	5	7	9	10	50

LI
예원

XVIII
지호

XX
수아

LX
지한

6 주판은 고대 중국에서 시작된 계산 도구입니다. 주판으로 다음과 같이 수를 나타낸다고 할 때, 규칙을 찾아 ☐ 안에 각 주판이 나타내는 수를 쓰세요.

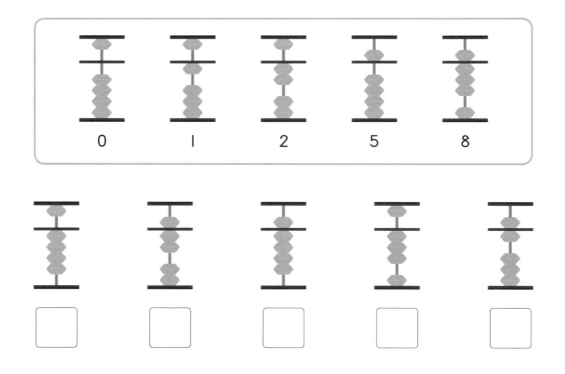

0	1	2	5	8

7 어느 마을의 인구 수를 고대 그리스의 수로 나타낸 것입니다. 표의 빈칸에 마을의 총 인구 수를 그리스 수로 쓰세요.

수	성인 남성	성인 여성	어린이	합
	△△△‖	△△△△‖	△△△Γ|	

8 고대 이집트에서는 다음과 같은 모양으로 수를 나타냈습니다. 같은 식을 아라비아 수와 이집트 수로 나타내었을 때 빈 곳에 알맞은 아라비아 수 또는 이집트 수를 쓰세요.

수	1	6	10	100	31	415
모양			|||	∩	♀	∩∩∩|	♀♀♀♀∩|||

아라비아 수: 157 − [ ] = [ ]

이집트 수: [ ] − = [ ]

1 고대 바빌로니아에서는 나무나 돌에 쐐기 모양을 새겨 수를 나타내었습니다. 다음 물음에 답하세요.

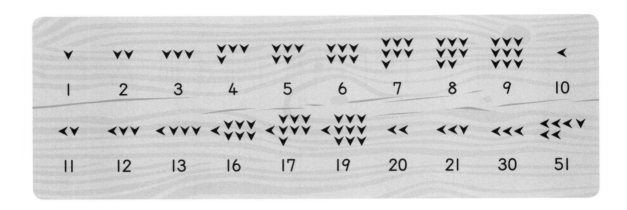

(1) 바빌로니아 수는 아라비아 수로, 아라비아 수는 바빌로니아 수로 나타내세요.

(2) 아라비아 수는 두 자리 수를 나타낼 때 왼쪽에 10의 개수를 쓰고, 오른쪽에 일의 개수를 씁니다. 고대 바빌로니아 수는 왼쪽에 60의 개수를 쓰고 오른쪽에 1의 개수를 씁니다. 다음 바빌로니아 수를 아라비아 수로 나타내세요.

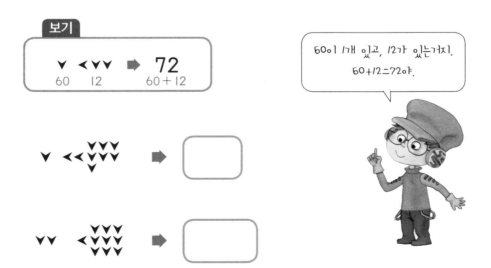

01 경시 기출 유형

● 고대 마야에서는 보기 와 같이 위에는 20의 개수를 쓰고, 아래에는 1의 개수를 쓰는 방법으로 큰 수를 나타냈습니다. 마야 수는 아라비아 수로, 아라비아 수는 마야 수로 나타내세요.

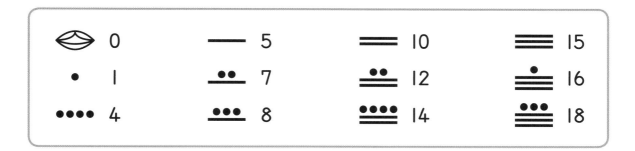

보기

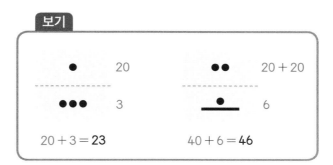

02

수와 숫자

수와 숫자

지호   예원

4월 7일
오늘의 숙제: p.20~24
숙제 꼭! 해오세요.

: 칠판에 적힌 수와 숫자의 개수를 각각 구해볼래?

: 수와 숫자가 다른 거야?

: 응, 숫자는 수를 나타내는 데 사용하는 0, 1, 2, 3, 4, 5, 6, 7, 8, 9를 의미해. 모두 10개 가 있지. 수는 숫자로 나타낸 모든 수를 얘기하지.

: 아~ 그럼 20과 24는 숫자 2개로 이루어진 수구나. 그럼 수는 4개, 숫자는 6개야.

● 수와 숫자의 개수를 각각 구하세요.

8   수: ⬜ 개, 숫자: ⬜ 개

17   수: ⬜ 개, 숫자: ⬜ 개

695   수: ⬜ 개, 숫자: ⬜ 개

두 자리 수 1개는 숫자 2개,
세 자리 수 1개는 숫자 3개로
이루어지지.

I부터 I5까지의 수 카드가 있습니다. 수와 숫자의 개수를 각각 구하세요.

| I | 2 | 3 | ⋯⋯ | I4 | I5 |

수: ☐ 개, 숫자: ☐ 개

수와 숫자의 개수

5부터 I5까지의 수와 숫자의 개수를 구하세요.

① 한 자리 수: 수의 개수 **5**개, 숫자의 개수 ☐ 개 (5, 6, 7, 8, 9)

② 두 자리 수: 수의 개수 **6**개, 숫자의 개수 ☐ + ☐ = ☐ (개) (I0, II, I2, I3, I4, I5)

③ 5부터 I5까지의 수의 개수: ☐ + ☐ = ☐ (개)

숫자의 개수: ☐ + ☐ = ☐ (개)

1. 한 자리 수는 숫자의 개수와 수의 개수가 같습니다.

2. 두 자리 수는 숫자의 개수가 수의 개수의 2배입니다.

3. 한 자리 수와 두 자리 수의 개수를 알면 숫자의 개수를 알 수 있습니다.

예제 1

수와 숫자의 개수를 각각 구하세요.

| 3 | 15 | 123 | 8 | 19 | 7 |

수: ⬜ 개, 숫자: ⬜ 개

예제 2

민서가 3월 4일부터 3월 14일까지 제주도로 여행을 갑니다. 민서가 여행하는 날짜에 있는 숫자의 개수를 구하세요.

3월

일	월	화	수	목	금	토
1	2	3	4	5	6	7
8	9	10	11	12	13	14
15	16	17	18	19	20	21
22	23	24	25	26	27	28
29	30	31				

예원이가 1부터 40까지 수를 순서대로 썼습니다. 예원이는 숫자 3을 모두 몇 번 썼습니까?

1, 2, 3, 4, 5, 6, 7, 8, 9, 10,
11, 12, 13, 14, 15 ‥‥‥

3, 13, 23, 30~

범위 안 숫자의 개수

1부터 30까지의 수에서 숫자 1의 개수를 구하세요.

① 일의 자리 숫자가 1인 수: ☐ , ☐ , ☐ ➡ 모두 ☐ 개

② 십의 자리 숫자가 1인 수: ☐ , ☐ , ☐ , ☐ , ☐ , ☐

☐ , ☐ , ☐ , ☐ ➡ 모두 ☐ 개

③ 숫자 1의 개수: ☐ + ☐ = ☐ (개)

1. 일의 자리에 정해진 숫자가 들어가는 수를 모두 찾습니다.

2. 십의 자리에 정해진 숫자가 들어가는 수를 모두 찾습니다.

3. 정해진 숫자가 들어가는 수의 개수를 구할 때에는 일과 십의 자리에 정해진 숫자가 모두 들어가는 수를 확인합니다.

예제 1

1부터 30까지의 수에 숫자 2는 모두 몇 개 있습니까?

일의 자리 숫자가 2인
수부터 세어볼까~

예제 2

다음 표에 1부터 50까지의 수를 차례로 씁니다. 숫자 4가 있는 칸은 모두 몇 개입니까?

1	2	3	4	5	6	7	8	9	10
11	12								
									50

1 16부터 29까지의 수 중 짝수의 개수와 짝수를 쓰는 데 필요한 숫자의 개수를 차례로 쓰세요.

| 16 | 18 | 20 | 22 | 24 | 26 | 28 |

2 두 자리 수 25개를 쓰려면 숫자를 몇 개 써야 합니까?

3 수와 숫자의 개수 조건에 맞게 수를 고르세요. 고른 수에 모두 ◯표 하세요.

(1)

수 4개,
숫자 7개

| 18 | 245 | 2 | 3000 | 2311 | 8 |

(2)

수 3개,
숫자 5개

| 5 | 7 | 29 | 309 | 2404 | 1402 |

수 4개, 숫자 7개는 숫자 7개로
만들어진 수 4개를 고르는 거야.

4 지호가 키보드로 10부터 30까지의 수를 입력했습니다. 지호는 숫자 1을 모두 몇 번 눌렀습니까?

10, 11, 12, 13 ……

5 프린터가 6부터 16까지의 수를 인쇄하고 있습니다. 프린터가 숫자 1개를 인쇄하는 데 1초가 걸린다면, 인쇄하는 데 모두 몇 초가 걸리는지 구하세요.

6 4월 달력에서 찾을 수 있는 수의 개수와 숫자의 개수를 차례로 쓰세요.

4월

일	월	화	수	목	금	토
1	2	3	4	5	6	7
8	9	10	11	12	13	14

7 민서가 1부터 30까지의 수를 차례로 쓰려고 합니다. 민서는 숫자 1과 3 중 어느 것을 몇 번 더 쓰는지 구하세요.

8 어느 도서관의 책에 1부터 차례로 번호 스티커를 붙입니다. 1번 책에는 스티커 ① 을, 12번 책에는 스티커 ① ② 를 붙입니다. 스티커를 모두 33장 붙였다면 책은 모두 몇 권입니까?

1 한결이는 오후 5시부터 오후 7시까지 15분마다 다음과 같이 장수풍뎅이의 움직임을 관찰하고 기록했습니다. 한결이가 시각을 쓰는 데 사용한 숫자 5는 몇 개입니까?

5시
5시 15분
5시 30분
5시 45분
⋮
7시

2 0부터 50까지의 수 카드가 있습니다. 숫자 2가 들어간 카드를 모두 버린다면 남는 카드는 몇 장입니까?

$$\boxed{0}\ \boxed{1}\ \boxed{2}\ \boxed{3}\ \cdots\cdots\ \boxed{49}\ \boxed{50}$$

● 지한이가 **80**부터 **110**까지의 수를 차례로 쓰려고 합니다. 지한이가 쓰는 숫자는 모두 몇 개입니까?

● 다음과 같은 방법으로 **1**부터 처음으로 숫자 **2**가 연속해서 **2**번 나오는 수까지 쓰려고 합니다. 칸이 모두 몇 개 필요합니까?

| 1 | 2 | 3 | 4 | 5 | 6 | 7 | 8 | 9 | 1 0 | 1 1 | …… |

03

카드로 만든 수

카드로 만든 수

지호   예원

Math storyteller

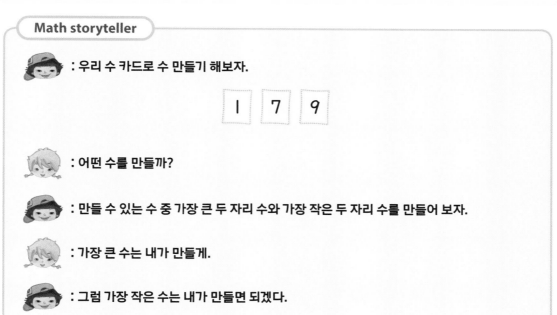

🧢 : 우리 수 카드로 수 만들기 해보자.

| I | 7 | 9 |

: 어떤 수를 만들까?

🧢 : 만들 수 있는 수 중 가장 큰 두 자리 수와 가장 작은 두 자리 수를 만들어 보자.

: 가장 큰 수는 내가 만들게.

🧢 : 그럼 가장 작은 수는 내가 만들면 되겠다.

● 다음 순서에 따라 가장 큰 수를 만드세요.

① 주어진 수 중 가장 큰 숫자를 십의 자리에 놓습니다.
② 주어진 수 중 두 번째 큰 숫자를 일의 자리에 놓습니다.   ➡

십   일

9

● 다음 순서에 따라 가장 작은 수를 만드세요.

① 주어진 수 중 가장 작은 숫자를 십의 자리에 놓습니다.
② 주어진 수 중 두 번째 작은 숫자를 일의 자리에 놓습니다.   ➡

십   일

가장 큰 수를 만들 때는
높은 자리에 놓이는 숫자부터 결정해.

가장 작은 수를 만들 때도
높은 자리에 놓이는 숫자부터 결정하지.

수 카드를 한 번씩 사용하여 만들 수 있는 두 자리 수 중 **4**번째 큰 수를 구하세요.

| 2 | 5 | 6 | 8 |

두 자리 수 만들기

수 카드를 한 번씩 사용하여 **3**번째 큰 두 자리 수와 **3**번째 작은 두 자리 수를 만드세요.

| 6 | 2 | 0 | 7 |

	가장 큰 수	2번째 큰 수	3번째 큰 수
[3번째 큰 두 자리 수]	76 →	72 →	

	가장 작은 수	2번째 작은 수	3번째 작은 수
[3번째 작은 두 자리 수]	20 →	26 →	

· ·

1. 가장 큰(작은) 두 자리 수는 가장 큰(작은) 숫자를 십의 자리, 두 번째 큰(작은) 숫자를 일의 자리에 놓아 만듭니다.

2. 2번째 큰(작은) 수는 가장 큰(작은) 수를 먼저 만든 후 일의 자리 숫자를 바꾸어 만듭니다.

3. 3번째 큰(작은) 수는 2번째 큰(작은) 수를 만든 후 일의 자리 숫자를 바꾸어 만듭니다.

4. 숫자 0은 수를 만들 때 가장 높은 자리에 놓을 수 없습니다.

예제 1

구슬의 수를 한 번씩 사용하여 만들 수 있는 두 자리 수 중 **2**번째 큰 수와 **2**번째 작은 수를 차례로 쓰세요.

예제 2

수 카드를 한 번씩 사용하여 만들 수 있는 두 자리 수 중 **4**번째 작은 수를 구하세요.

1	4	7	8

수 카드를 한 번씩 사용하여 만들 수 있는 **50**보다 큰 두 자리 수는 모두 몇 개입니까?

| 0 | 3 | 5 | 6 |

조건과 수

수 카드를 한 번씩 사용하여 만들 수 있는 **60**보다 큰 두 자리 수는 몇 개입니까?

| 6 | 2 | 3 | 7 |

① 십의 자리에 놓을 수 있는 숫자: 6 , □

(60보다 큰 수이므로 십의 자리에는 6보다 크거나 같은 숫자가 들어갑니다.)

② 십의 자리 숫자가 **6**일 때: 6□ , 6□ , 6□

십의 자리 숫자가 **7**일 때: 7□ , 7□ , 7□ ➡ 조건에 맞는 수는 모두 □개

···

1. 크기 조건에 맞는 두 자리 수를 만들 때에는 십의 자리에 들어갈 숫자, 세 자리 수를 만들 때에는 백의
자리에 들어갈 숫자부터 생각합니다.

2. 남은 자리에 사용하지 않은 숫자를 넣어 조건에 맞는 수를 만듭니다.

예제1

수 카드를 한 번씩 사용하여 조건을 만족하는 수를 모두 만드세요.

- 두 자리 수입니다.
- 짝수입니다.
- 십의 자리 숫자는 홀수입니다.

예제 2

팔린드롬 수는 88, 141, 373과 같이 거꾸로 읽어도 원래 수와 같은 수입니다. 3부터 6까지의 수 카드가 각각 2장씩 있습니다. 500보다 작은 세 자리 팔린드롬 수를 몇 개 만들 수 있습니까?

1 수 카드를 한 번씩 사용하여 만들 수 있는 두 자리 수 중 가장 큰 수와 가장 작은 수를 차례로 쓰세요.

| 1 | 2 | 5 | 9 | 0 |

2 두 친구가 이야기 한 수를 한 번씩 사용하여 각자 두 자리 수를 만들려고 합니다. 지호와 지한이가 만들 수 있는 **3**번째 작은 수 중 더 작은 수를 만들 수 있는 친구는 누구일까요?

1, 3, 4, 9   0, 2, 7, 8

지호   지한

3 수 카드를 한 번씩 사용하여 만들 수 있는 20보다 크고 50보다 작은 수는 모두 몇 개입니까?

4 수 카드를 한 번씩 사용하여 만든 두 자리 수를 계단에 놓습니다. 큰 수를 더 높은 곳에 놓는다고 할 때, ☐ 안에 알맞은 수를 쓰세요.

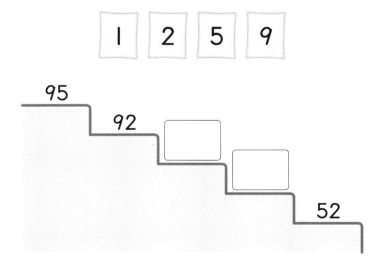

5 수 카드를 한 번씩 사용하여 만들 수 있는 **35**보다 크고 **65**보다 작은 수 중 가장 큰 수와 가장 작은 수를 차례로 쓰세요.

$$\boxed{0} \quad \boxed{3} \quad \boxed{5} \quad \boxed{6} \quad \boxed{9}$$

6 0, 3, 5, 6, 7을 한 번씩 사용하여 만들 수 있는 두 자리 수 중 **2**번째 큰 짝수와 **2**번째 작은 홀수를 차례로 쓰세요.

7 구슬의 수를 한 번씩 사용하여 만들 수 있는 두 자리 수 중 **5**번째 큰 수와 **5**번째 작은 수를 차례로 쓰세요.

8 수 카드를 한 번씩 사용하여 만들 수 있는 두 자리 수 중 **10**개씩 묶음의 수가 낱개의 수보다 큰 수는 모두 몇 개입니까?

1	2	4	6	8

10개씩 묶음의 수는 십의 자리 숫자, 낱개의 수는 일의 자리 숫자를 말하는 거야.

1 수 카드를 한 번씩 사용하여 만들 수 있는 두 자리 수 중 십의 자리 숫자와 일의 자리 숫자의 합이 **4**인 수를 모두 쓰세요.

$$\boxed{0} \quad \boxed{1} \quad \boxed{2} \quad \boxed{3} \quad \boxed{4}$$

2 수 카드를 한 번씩 사용하여 만들 수 있는 수 중 조건을 모두 만족하는 수를 구하세요.

$$\boxed{0} \quad \boxed{1} \quad \boxed{6} \quad \boxed{8} \quad \boxed{9}$$

- 세 자리 수입니다.
- 백의 자리 숫자는 1입니다.
- 위 조건을 만족하는 수 중 5번째 작은 수입니다.

● 수 카드를 한 번씩 사용하여 만들 수 있는 10번째 작은 두 자리 수를 쓰세요.

2	5	6	7	9

● 11, 212, 323과 같이 앞으로 읽어도 뒤로 읽어도 같은 수를 대칭수라고 합니다. 10월, 11월, 12월 날짜를 보기 와 같이 나타낸다고 할 때, 대칭수가 되는 날을 모두 찾아 대칭수로 나타내세요.

보기

4월 4일 ➡ 44   5월 15일 ➡ 515

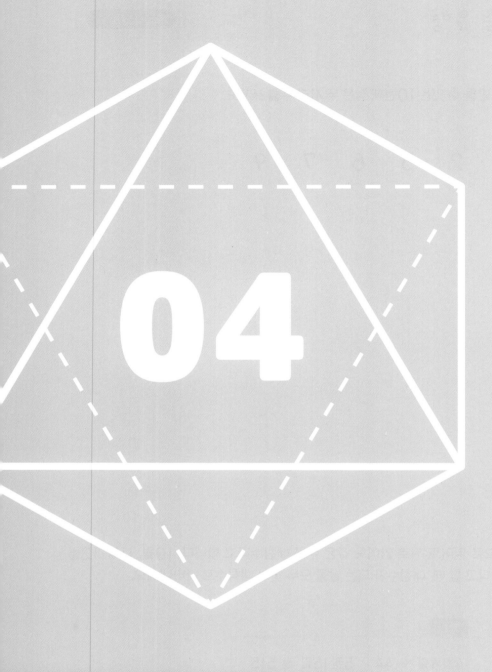

04

수 퍼즐

Math storyteller

 : 예원아, 우리 수 잇기 퍼즐에 도전해 보자.

 : 어떻게 하는 거야?

 : 같은 수끼리 선으로 잇는 거야. 그런데 선이 서로 겹치지 않고 모든 칸을 지나가야 해.
선은 가로, 세로 방향으로만 그을 수 있지.

 : 와~ 나 수 잇기 퍼즐 해결했어.

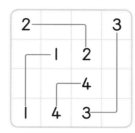

● 다음 수 잇기 퍼즐을 완성하세요.

스도쿠 퍼즐은 가로, 세로에 각각 다른 수가 한 번씩만 들어가는 퍼즐입니다. 가로, 세로에 1, 2, 3이 각각 한 번씩만 들어가는 스도쿠 퍼즐을 완성하세요.

1		2
		3

		1
2		3

2		3
		1

스도쿠 퍼즐 완성하기

가로, 세로, 굵은 선으로 나누어진 부분에 1, 2, 3, 4가 한 번씩만 들어가도록 빈칸에 알맞은 수를 쓰세요.

	1	3	
2	3		
1			3
	4		1

➡

4	1	3	
2	3		
1	2		3
	4		1

➡

4	1	3	2
2	3		
1	2		3
3	4		1

➡

4	1	3	2
2	3		
1	2		3
3	4		1

1. 가로, 세로, 굵은 선으로 나누어진 부분 중 빈칸이 1개인 곳을 먼저 찾아 알맞은 수를 씁니다.

2. 1에서 수를 쓴 후 다시 빈칸이 1개인 곳을 찾아 알맞은 수를 씁니다.

3. 스도쿠의 남은 빈칸에 1, 2, 3, 4가 한 번씩 들어가도록 알맞은 수를 씁니다.

예제 1

가로, 세로, 굵은 선으로 나누어진 부분에 1, 2, 3, 4가 각각 한 번씩만 들어가도록 빈칸에 알맞은 수를 써넣으세요.

2		4	
	1	2	3
1			4
	4	1	

예제 2

가로, 세로에 1, 2, 3, 4, 5가 각각 한 번씩만 들어가도록 빈칸에 알맞은 수를 써넣으세요.

		1	3	
4		2		3
5	4			1
	2	4		5
1	3	5	4	

노노그램은 보기 와 같이 사각형의 위, 옆에 있는 수만큼 연속하여 칸을 색칠하는 퍼즐입니다. 다음 노노
그램 퍼즐을 완성하세요.

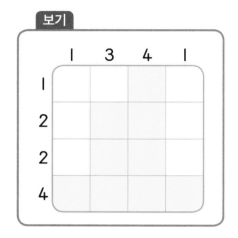

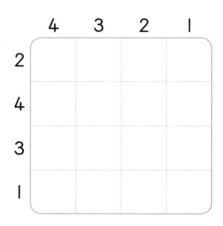

노노그램 완성하기

1. 전체를 모두 색칠하는 줄을 먼저 색칠합니다.

2. 절대 색칠하지 않는 칸을 모두 찾아 ✕표 합니다.

3. 사각형의 위, 옆의 수에 맞게 빈칸을 색칠합니다.

예제1

사각형 밖에 있는 수는 그 줄에 색칠한 칸의 수를 나타냅니다. 다음 노노그램 퍼즐을 완성하세요.

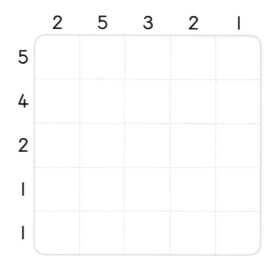

예제 2

규칙에 맞게 보기 와 같이 꿀벌이 꽃으로 이동한 길을 그리세요.

- 한 번 지나간 방은 다시 지날 수 없습니다.
- 사각형 밖의 수는 그 줄에서 지나는 방의 수입니다.

보기

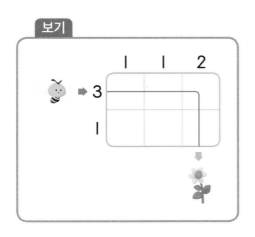

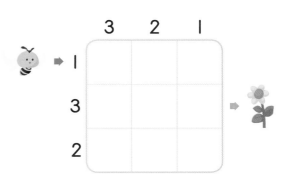

1 가로, 세로로 색칠한 칸의 수를 ☐ 안에 쓰세요.

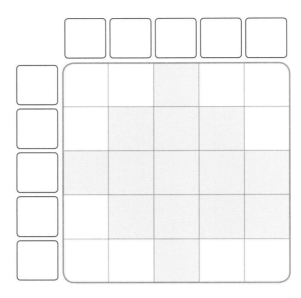

2 선이 겹치지 않고 모든 칸을 지나도록 합이 15가 되는 두 수를 선으로 이으세요. (단, 선은 가로나 세로 방향으로만 그을 수 있습니다.)

6				3
				8
		7		12
				9

3 가로, 세로, 굵은 선으로 나누어진 부분에 1, 2, 3, 4가 각각 한 번씩만 들어가도록 빈칸에 알맞은 수를 쓰세요.

1	2		4
		1	
4	3		
	1		3

4 사각형 밖에 있는 수는 그 줄에 연속하여 색칠한 칸의 수를 나타냅니다. 다음 노노그램 퍼즐을 완성하세요.

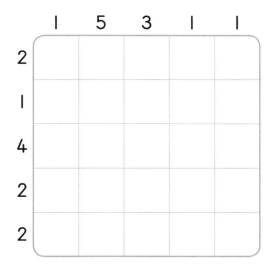

5 사각형 밖의 수는 ●, ●을 포함하여 그 줄에서 지나야 하는 점의 수입니다. ●부터 ●까지 선을 이어 퍼즐을 완성하세요. (단, 선은 가로, 세로 방향으로만 이을 수 있습니다.)

	1	5	3	1	1
2	●	·	·	·	·
1	·	·	·	·	·
2	·	·	·	·	·
2	·	·	·	·	·
4	·	·	·	·	●

6 가로, 세로, 굵은 선으로 나누어진 부분에 1, 2, 3, 4, 5가 각각 한 번씩만 들어가도록 빈칸에 알맞은 수를 쓰세요.

5	2	4		
	3	5	1	2
			4	
1				
	5		2	4

7 가로, 세로, 굵은 선으로 나누어진 부분에 1, 2, 3, 4를 각각 한 번씩만 들어가도록 수를 넣어 퍼즐을 완성하는 방법이 2가지입니다. 서로 다른 방법으로 퍼즐을 완성하세요.

1			3
		1	2
2		3	4
		2	

1			3
		1	2
2		3	4
		2	

8 다음 규칙에 따라 예원이가 집으로 갑니다. 예원이가 가는 길을 선으로 나타내세요.

- 한 번 통과한 칸은 다시 지나갈 수 없습니다.
- 왼쪽에 적힌 수는 가로, 위에 적힌 수는 세로로 통과할 수 있는 칸의 수를 나타냅니다.

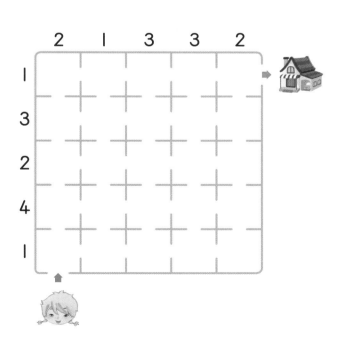

1 가로, 세로, 굵은 선으로 나누어진 부분에 1, 2, 3, 4, 5가 각각 한 번씩만 들어가도록 수를 넣은 것입니다. 지워진 굵은 선을 모두 그리세요.

1	2	5	4	3
3	5	2	1	4
2	1	4	3	5
4	3	1	5	2
5	4	3	2	1

2 사각형 밖에 있는 수는 보기 와 같이 그 줄에 연속으로 색칠한 칸의 수를 나타냅니다. 보기 와 같은 방법으로 빈칸을 알맞게 색칠하세요.

보기

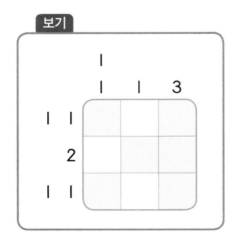

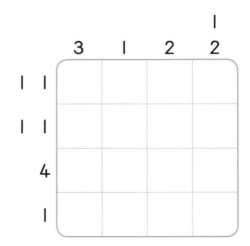

● 가로, 세로, 굵은 선으로 나누어진 부분에 1부터 9까지의 수가 각각 한 번씩만 들어가도록 수를 쓰세요.

9			6	8	1		5		4
	7			2		5	8	3	
2				4	6	3	7		1
	2	9		1		4	6	8	
6	8	5			7	2	4	1	3
	4	3		5			9	7	
3				7	2	8			9
5	9	7		3		1		6	
	1	2				9	3	4	7

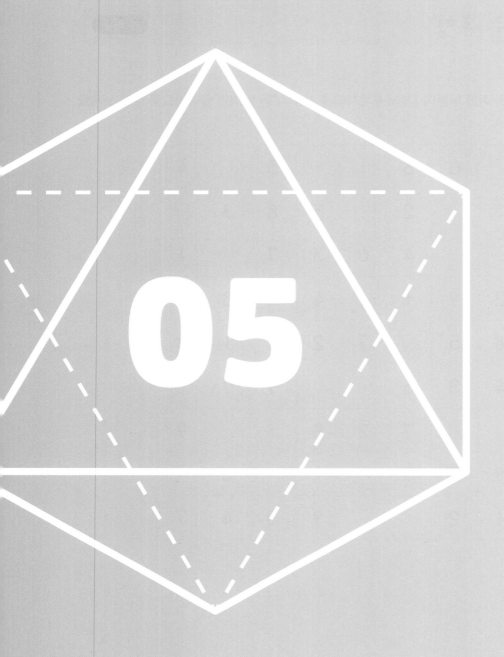

05

여러 가지 패턴

여러 가지 패턴

지호   예원

Math storyteller

: 예원아, 이 모양에서 규칙을 찾을 수 있어?

: 모양은 모두 같은데……

: 모양의 개수에서 규칙을 찾아볼래?

: 알겠어! 개수가 **1**개씩 많아지는구나.

: 맞아. 이렇게 모양이 일정하게 몇 개씩 늘어나거나 줄어드는 패턴을 증감패턴이라고 해.

● 규칙을 찾아 ☐ 안에 알맞은 수를 쓰세요.

♥가 ☐ 개씩 늘어나는 규칙입니다.

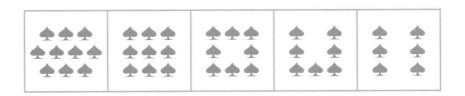

♠가 ☐ 개씩 줄어드는 규칙입니다.

다음과 같은 규칙으로 쌓기나무를 놓으려고 합니다. 빈 곳에 알맞은 모양을 만드는 데 필요한 쌓기나무는 몇 개입니까?

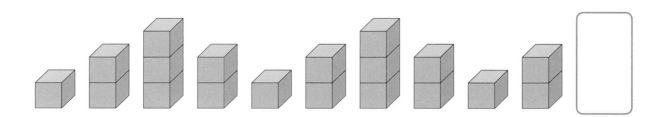

패턴의 마디

1. 규칙에 따라 순서대로 늘어놓고, 반복하는 것을 패턴이라고 합니다.

2. 패턴에서 규칙적으로 반복되는 부분을 패턴의 마디라고 합니다.

3. 패턴의 마디를 알면 패턴의 빈 곳에 마디가 반복되도록 모양을 넣을 수 있습니다.

예제 1

패턴의 마디를 찾아 선으로 이으세요.

　·

·　

　·

·　

　·

·　

예제 2

패턴에 맞게 빈 곳에 알맞은 것을 찾아 기호를 쓰세요.

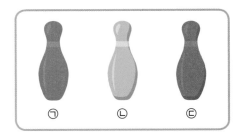

규칙을 찾아 6번째 모양을 완성하세요.

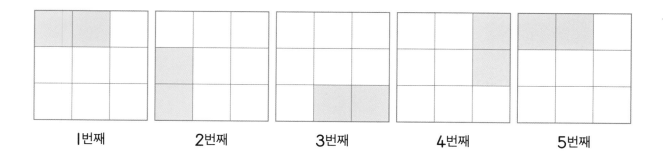

1번째   2번째   3번째   4번째   5번째

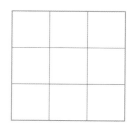

6번째

회전패턴과 반전패턴

[회전패턴]

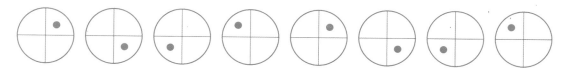

: 시계 방향(⟳)으로 1칸씩 회전합니다.

[반전패턴]

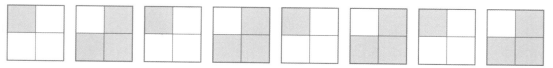

: 초록색은 흰색으로, 흰색은 초록색으로 색이 반전됩니다.

1. 회전패턴은 주어진 모양이 일정한 방향으로 규칙적으로 회전합니다.

2. 반전패턴은 원래의 색을 반전한 모양이 규칙적으로 반복됩니다.

규칙을 찾아 마지막 모양을 완성하세요.

규칙을 찾아 빈 곳에 알맞은 모양을 그리세요.

(1)

(2)

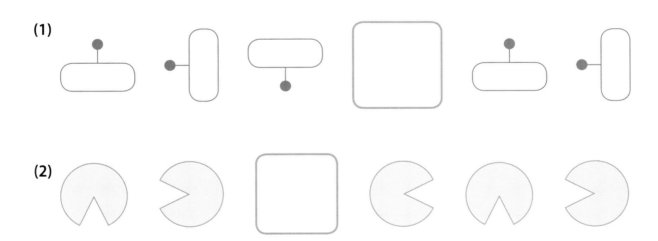

1 규칙을 찾아 5번째 그릇에 놓이는 각 쿠키의 개수를 구하세요.

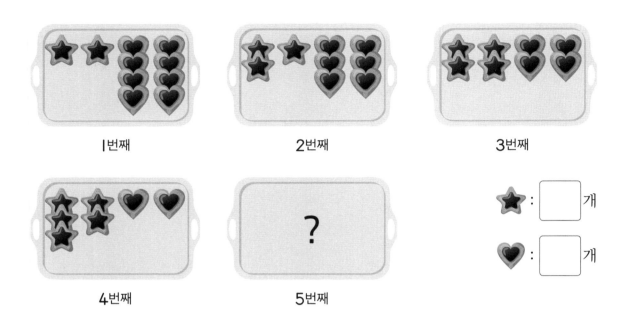

2 패턴의 마디를 찾아 그리세요.

(1) □ ♡ ♡ ○ □ ♡ ♡ ○ □ ♡ ♡ ○

패턴의 마디:

(2) ☆ △ ○ ☆ △ ○ ☆ △ ○ ☆ △ ○

패턴의 마디:

3 규칙이 같은 카드끼리 짝을 지으세요.

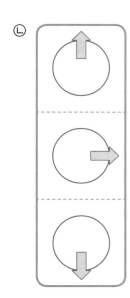
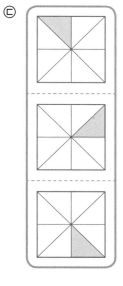
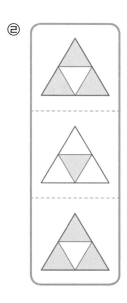

(㉠, □), (□, □)

4 규칙을 찾아 빈 곳에 알맞은 모양을 그리거나 완성하세요.

(1)

(2)

5 일정한 규칙에 따라 시곗바늘이 움직인다고 할 때, 마지막 시계는 몇 시 몇 분을 나타냅니까?

	시		분

6 일정한 규칙에 따라 색칠한다고 할 때, 3번째, 5번째 모양을 완성하세요.

	1	2	3
	4	5	6
	7	8	9

1번째

	1	2	3
	4	5	6
	7	8	9

2번째

	1	2	3
	4	5	6
	7	8	9

3번째

	1	2	3
	4	5	6
	7	8	9

4번째

	1	2	3
	4	5	6
	7	8	9

5번째

7 규칙을 찾아 6번째 모양을 완성하세요.

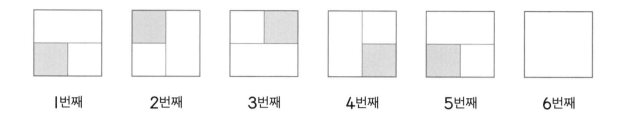

8 지한이가 말하는 규칙에 따라 패턴을 완성하세요.

색을 칠한 곳과 칠하지
않은 곳을 반전시키는
패턴을 만들거야.

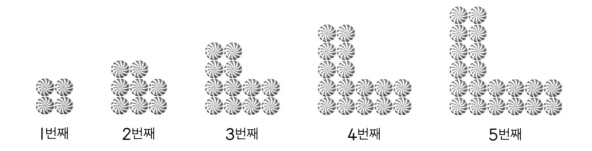
1 일정한 규칙에 따라 다음과 같이 사탕을 놓았습니다. **6**번째 모양과 **7**번째 모양을 만드는 데 필요한 사탕은 모두 몇 개입니까?

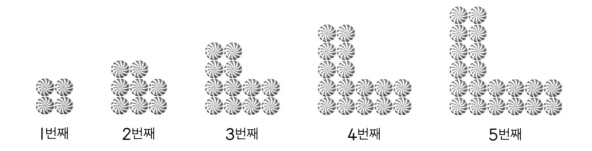

| 1번째 | 2번째 | 3번째 | 4번째 | 5번째 |

2 규칙을 찾아 **6**번째 모양에서 검은색 바둑돌이 놓이는 곳을 색칠하여 나타내세요.

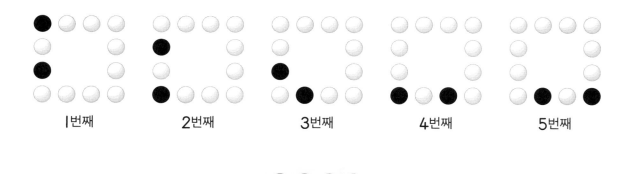

| 1번째 | 2번째 | 3번째 | 4번째 | 5번째 |

6번째

● 일정한 규칙에 따라 카드 **20**장을 놓았습니다. 두 종류의 카드가 각각 몇 장씩 필요합니까?

▨ : ☐ 장, ▨ : ☐ 장

● 일정한 규칙에 따라 패턴을 만들 때, 마지막 모양은 몇 번째에 처음 나오는지 구하세요.

 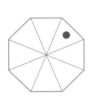

l번째   2번째   3번째   4번째   ☐번째

06

이중패턴과
□번째 모양

이중패턴과 □번째 모양

지호   예원

 : 예원아, 이 패턴의 규칙을 찾을 수 있겠어?

 : 회전패턴 같은데...... 다른 회전패턴과는 좀 다른 것 같아.

 : 맞아, 이 패턴에는 회전패턴과 다른 패턴 하나가 더 있어. 그게 뭘까?

 : 색칠된 칸이 1개, 2개...... 1개씩 많아지는구나. 그렇다면 증감패턴?

 : 맞아. 회전패턴과 증감패턴이 같이 있는거야.

● 위의 지호가 보여준 패턴 뒤에 나올 모양을 완성하세요.

회전패턴의 규칙과
증감패턴의 규칙을
모두 생각해야 해.

시계 방향으로 1칸씩
회전하고, 색칠한 칸이
1칸씩 많아지지.

규칙을 찾아 마지막에 알맞은 모양에 대한 올바른 설명에 ◯표 하세요.

(⭐ , ⭐) 모양이 (1 , 2 , 3)개 있습니다.

이중패턴

주황색, 초록색, 보라색이 반복됩니다.

●,■,■,▲이 반복됩니다.

: 색깔 규칙과 모양 규칙이 섞여 있습니다.

큰 모양, 작은 모양이 반복됩니다.

■,■,▲이 반복됩니다.

: 크기 규칙과 모양 규칙이 섞여 있습니다.

1. 이중패턴은 두 가지 종류의 패턴이 동시에 나타납니다.

2. 패턴의 규칙을 찾을 때에는 모양, 색깔, 크기, 회전, 개수 규칙을 나누어 생각합니다.

예제1

다음 패턴에서 모양 규칙과 색깔 규칙을 각각 찾으세요.

모양:

색깔:

예제2

규칙을 찾아 ㉠에 알맞은 모양에 ◯표 하세요.

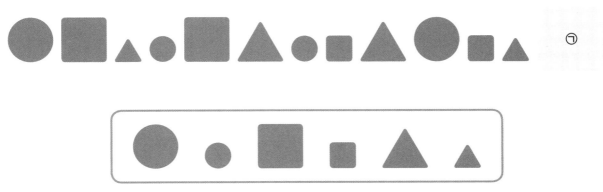

㉠

모양 규칙과 크기
규칙을 찾아야 해.

규칙을 찾아 15번째 모양을 완성하세요.

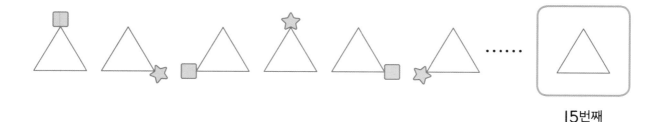

15번째

□번째 모양 찾기

규칙을 찾아 15번째에 올 모양을 그리세요.

15번째

[모양 마디]

① ○, ☆, ☆이 반복됩니다.

②

○	☆	☆
1	2	3
4	5	6
7	8	9
10	11	12
13	14	(15)

③ 15번째 모양은 ☆입니다.

[색깔 마디]

① 흰색, 노란색, 노란색, 노란색이 반복됩니다.

②

흰색	노란색	노란색	노란색
1	2	3	4
5	6	7	8
9	10	11	12
13	14	(15)	

③ 15번째 색깔은 노란색입니다.

---

1. □번째 모양을 찾을 때에는 먼저 패턴의 마디를 찾습니다.

2. 이중패턴은 두 가지 패턴 규칙을 각각 생각하여 □번째 모양을 찾습니다.

예제 1

규칙에 따라 색종이에 구멍을 뚫었습니다. 15번째 색종이의 구멍 개수를 구하세요.

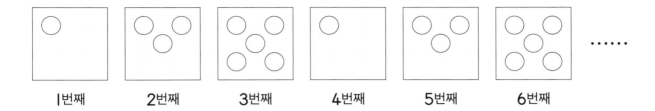

| 1번째 | 2번째 | 3번째 | 4번째 | 5번째 | 6번째 |

예제 2

규칙을 찾아 15번째 모양을 완성하세요.

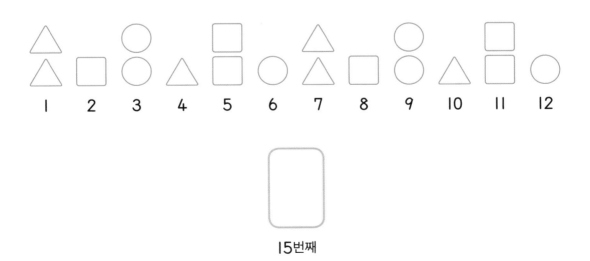

15번째

1 다음 패턴에서 모양 규칙과 개수 규칙을 각각 찾으세요.

모양: _____

개수: _____

2 규칙을 찾아 15번째 볼링핀의 색깔을 구하세요.

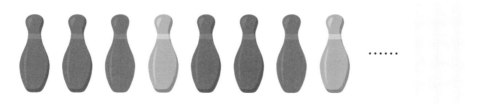

15번째

3 지호와 지한이가 세 가지 카드 중 자신의 규칙에 따라 카드 한 장을 냅니다. 두 친구가 15번째 내는 카드를 각각 그리세요.

4 규칙을 찾아 13번째 알맞은 모양을 그리세요.

5 규칙을 찾아 **8**번째 모양을 완성하세요.

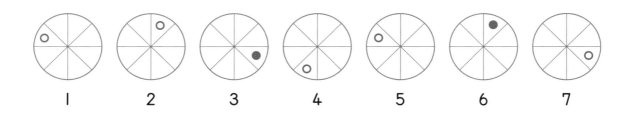

8번째

6 규칙을 찾아 **15**번째 모양을 완성하세요.

15번째

7 규칙을 찾아 l5번째 모양을 완성하세요.

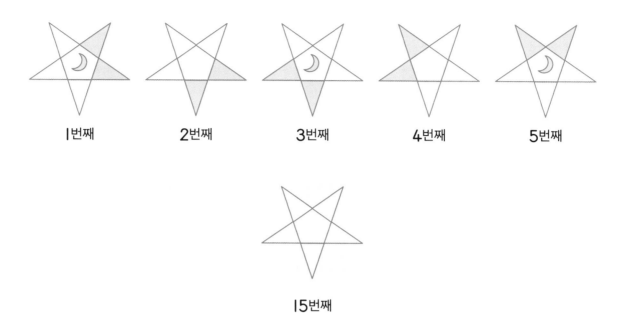

8 예원이가 설명하는 패턴을 완성하세요.

색깔은 검은색, 흰색, 검은색이 반복되고
모양은 ♡, □, △, △가
반복되어야 해.

1 규칙을 찾아 **20**번째 모양을 그리세요.

20번째

2 규칙을 찾아 **15**번째 모양을 완성하세요.

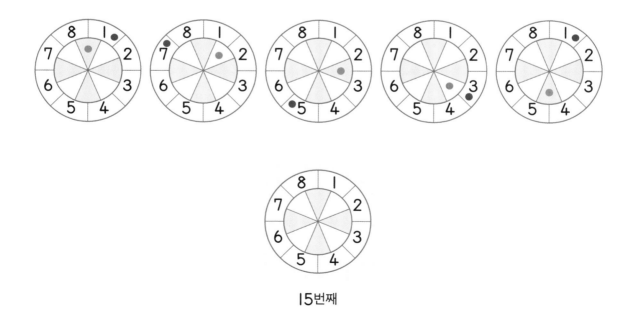

15번째

● 규칙을 찾아 빈 곳에 알맞은 수를 쓰세요.

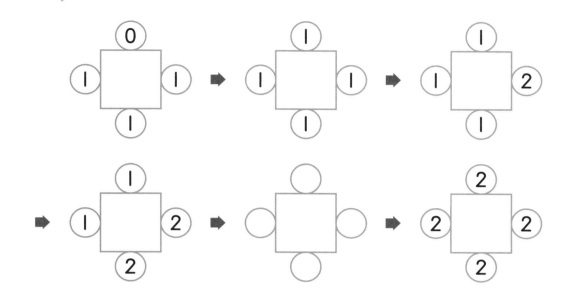

● 규칙을 찾아 3번째 모양과 12번째 모양을 완성하세요.

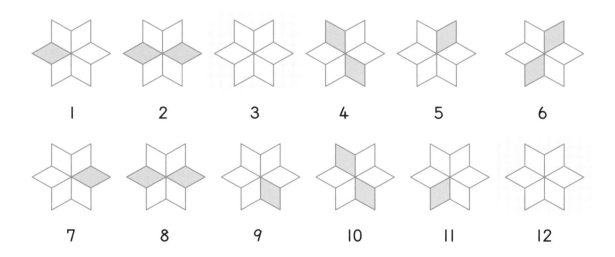

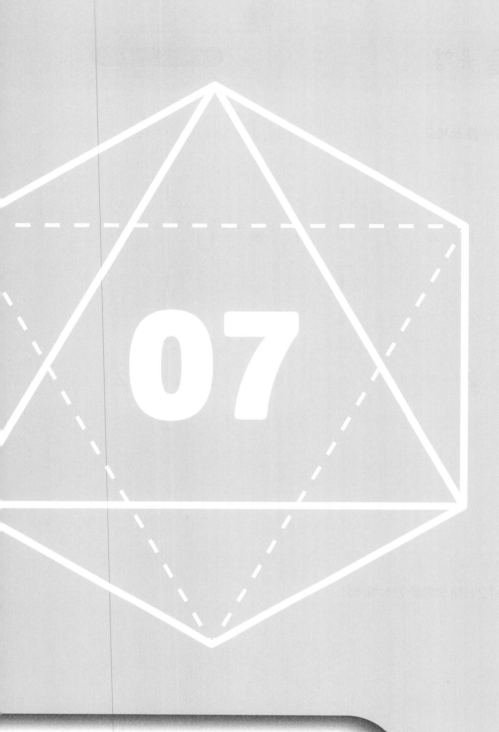

07

유비추론

유비추론

지호 예원

> **Math storyteller**
>
> : 예원아, 우리 '호동호동' 놀이하자.
>
> : 어떻게 하는 거야?
>
> : 공통점을 보고 맞히는 놀이야. 내가 말하는 것을 듣고 '호동'의 특징을 찾아봐. 그리고 다음 물건들이 '호동'인지, '호동'이 아닌지 말하는 거야.
>
>
>
> 이것은 호동이야. 이것은 호동이 아니야. 이것은 호동이야.
>
> 이것은 호동이야. 이것은 호동이 아니야.

● 다음 물음에 답하세요.

(1) 이것은 호동입니까?

(2) 이것은 호동입니까?

(3) 이것은 호동입니까?

관계가 같은 것끼리 선으로 이으세요.

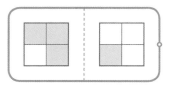

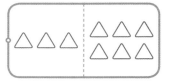

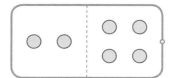

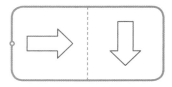

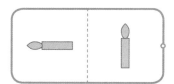

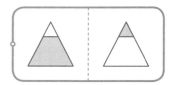

관계 유비추론

 : ⬅➡ :

안과 밖의 색깔이 서로 바뀝니다.

개 : 강아지 ⬅➡ 소 :

어미와 새끼입니다.

1. 유비추론은 주어진 모양, 단어 등의 관계를 보고 같은 관계에 놓인 것을 찾는 것입니다.

2. 관계 유비추론은 ⬅➡의 왼쪽에 있는 모양 또는 단어 사이의 관계와 ⬅➡의 오른쪽에 있는 모양 또는 단어의 관계가 같도록 추리하는 것입니다.

예제 1

관계가 같도록 빈 곳에 알맞은 단어를 쓰세요.

예제 2

두 수의 관계가 보기 와 같은 것의 기호를 쓰세요.

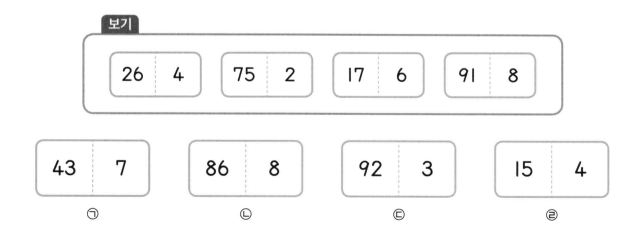

관계를 찾아 빈 곳에 알맞은 모양을 그리세요.

매트릭스 유비추론

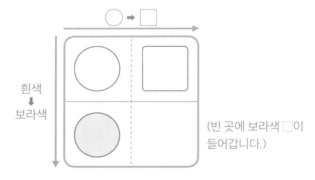

흰색
↓
보라색

(빈 곳에 보라색 □이
들어갑니다.)

1. 매트릭스 유비추론은 표의 가로줄과 세로줄에 놓인 도형 또는 단어 사이의 관계를 보고 빈 곳에 알맞은 도형 또는 단어를 추리하는 것입니다.

2. 표의 각 가로줄에 놓인 두 도형 또는 단어 사이의 관계가 서로 같습니다.

3. 표의 각 세로줄에 놓인 두 도형 또는 단어 사이의 관계가 서로 같습니다.

예제 1

매트릭스의 가로줄, 세로줄에 있는 모양 사이의 관계를 찾아 ☐ 안에 알맞은 기호를 쓰세요.

⊙ 크기가 커집니다.

ⓒ 크기가 작아집니다.

ⓒ ○이 △으로 바뀝니다.

ⓔ 색이 반전됩니다.

ⓜ 같은 모양이 |개 더 생깁니다.

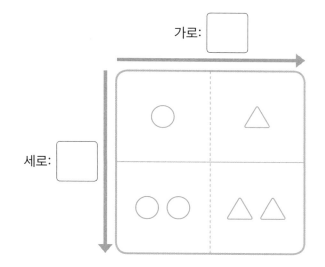

가로:

세로:

예제 2

관계를 찾아 매트릭스의 빈 곳에 알맞은 단어를 쓰세요.

(1)

손	
	발가락

(2)

	농구공
축구	

1 관계없는 카드에 ✕표 하세요.

(1)

(2)

2 관계가 같도록 빈 곳에 알맞은 단어를 쓰세요.

(1)

| 손 | 장갑 | ⬌ | | 양말 |

(2)

| 원숭이 | 바나나 | ⬌ | 토끼 | |

3 관계가 같도록 빈 곳에 알맞은 수를 쓰세요.

(1)

(2)

4 다음 중 다른 하나를 찾아 기호를 쓰세요.

    ㉠   ㉡   ㉢   ㉣   ㉤

5 관계를 찾아 빈 곳에 알맞은 수를 쓰세요.

(1)

	10
2	20

(2)

11	
22	4

6 관계를 찾아 빈 곳에 알맞은 모양을 그리세요.

(1)

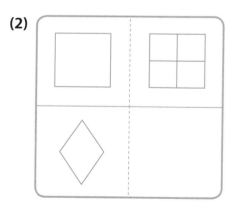

(2)

7 다음을 보고 '동동'인 것에 모두 ◯표 하세요.

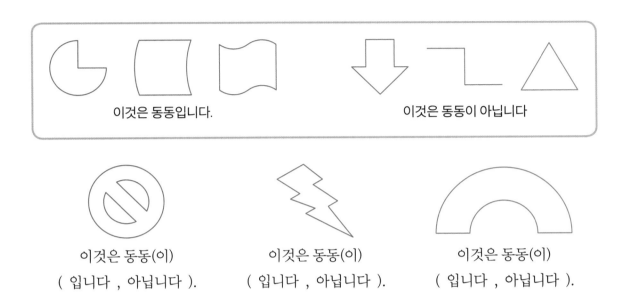

이것은 동동입니다.   이것은 동동이 아닙니다

이것은 동동(이)   이것은 동동(이)   이것은 동동(이)
(입니다 , 아닙니다).   (입니다 , 아닙니다).   (입니다 , 아닙니다).

8 규칙을 찾아 빈 곳에 알맞은 모양을 그리세요.

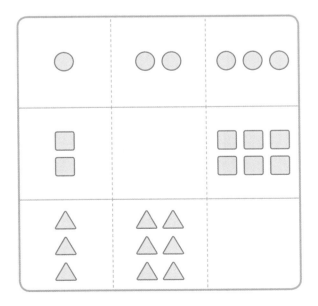

1 다음 중 나머지와 다른 하나를 찾아 기호를 쓰세요.

㉠

㉡

㉢

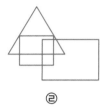
㉣

㉤

㉥

2 규칙을 찾아 빈 곳에 알맞은 모양을 그리세요.

● 그림의 공통점을 찾아 그림과 수를 선으로 이으세요.

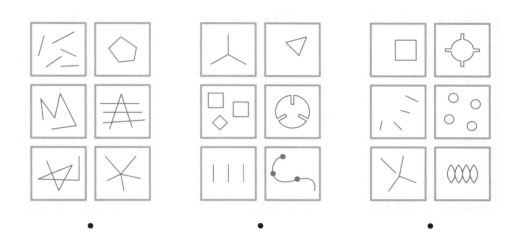

3   4   5   6

● 보기 를 보고 ◎의 규칙을 찾아 빈 곳에 알맞은 그림을 그리세요.

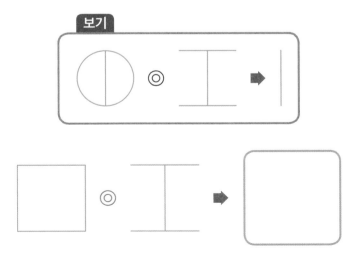

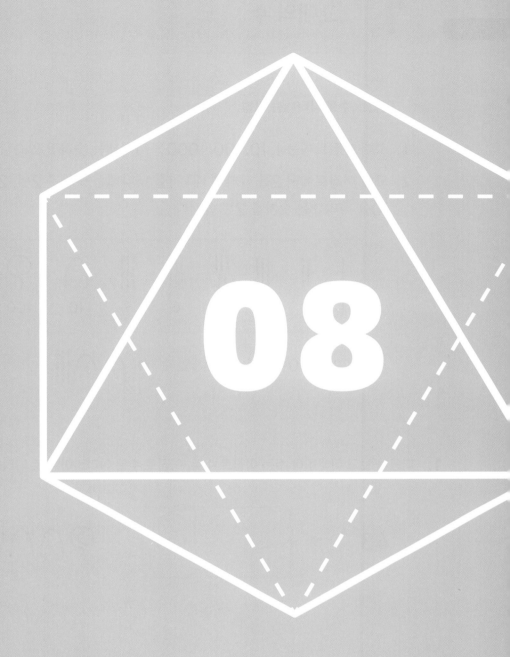

08

리뷰

1 고대의 수

이집트 수로 나타내는 방법

1. 고대 이집트에는 1, 10, 100, 1000을 나타내는 숫자만 있습니다.

2. 고대 이집트에서 2를 나타낼 때는 1을 나타내는 숫자를 2번, 20을 나타낼 때는 10을 나타내는 숫자를 2번 씁니다.

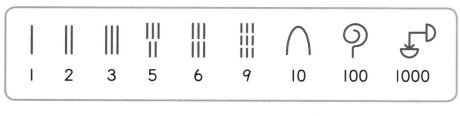

29   10이 2개, 1이 9개인 수 ➡ ∩∩ꕔ

---

1. 다음을 보고 아라비아 수는 이집트 수로, 이집트 수는 아라비아 수로 나타내세요.

43 ➡ [ ]   ⵀ∩∩ꕔ ➡ [ ]

---

2. 같은 식을 아라비아 수와 이집트 수로 나타낸 것입니다. 빈 곳에 알맞은 아라비아 수 또는 이집트 수를 쓰세요.

아라비아 수: 213   − [ ] = [ ]

이집트 수: [ ] − ∩∩∩∩ꕔ = [ ]

로마 수로 나타내는 방법

1. 고대 로마에서는 5(Ⅴ), 10(Ⅹ)을 나타내는 수의 왼쪽에 I을 나타내는 수(Ⅰ)를 써서 I 작은 수인 4(Ⅳ), 9(Ⅸ)를 나타냅니다.

2. 고대 로마에서는 5(Ⅴ), 10(Ⅹ)을 나타내는 수의 오른쪽에 I을 나타내는 수(Ⅰ)를 써서 I 큰 수인 6(Ⅵ), 11(Ⅺ)을 나타냅니다.

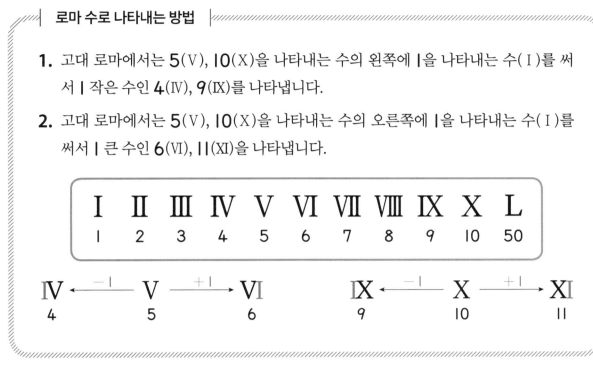

1. **보기** 를 보고 규칙을 찾아 아라비아 수를 고대 로마 수로 나타내세요.

보기

21 ➡ XXI   42 ➡ [   ]

2. 고대 로마 수로 나타낸 예원이 할아버지의 나이를 아라비아 수로 나타내세요.

우리 할아버지는 올해 LXXXVⅢ세야.

예원

수와 숫자의 개수

1. **5**는 수와 숫자의 개수가 모두 **1**개이고 **27**은 수는 **1**개, 숫자는 **2**개입니다.

2. 한 자리 수는 숫자의 개수와 수의 개수가 같습니다.

3. 두 자리 수는 숫자의 개수가 수의 개수의 **2**배입니다.

---

1. **1**부터 **20**까지의 수 카드가 있습니다. 수와 숫자의 개수를 각각 구하세요.

수: ☐ 개, 숫자: ☐ 개

2. 공책에 **31**부터 차례로 수를 씁니다. 숫자 **42**개를 썼다면 마지막 수는 무엇입니까?

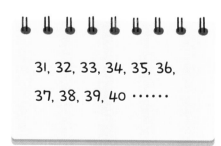

31, 32, 33, 34, 35, 36,
37, 38, 39, 40 ······

범위 안 숫자의 개수

1. 범위 안에 들어가는 특정 숫자의 개수를 구할 때에는 일의 자리, 십의 자리로 나누어 각 자리에 들어가는 숫자의 개수를 각각 구한 후 더합니다.

2. 특정 숫자가 들어가는 수의 개수를 구할 때에는 십의 자리와 일의 자리에 특정 숫자가 모두 들어가는 수를 생각합니다.

1. 1부터 40까지 수에서 숫자 3은 모두 몇 개 있습니까?

2. 프린터가 5부터 55까지의 수 중 숫자 5가 있는 수를 인쇄하고 있습니다. 프린터가 인쇄하는 수는 모두 몇 개입니까?

///// **두 자리 수 만들기** ///////////////////////////////

1. 가장 큰 두 자리 수는 가장 큰 숫자를 십의 자리, 두 번째 큰 숫자를 일의 자리에 놓아 만듭니다.

2. 가장 작은 두 자리 수는 0을 제외한 가장 작은 숫자를 십의 자리, 남은 숫자 중 가장 작은 숫자를 일의 자리에 놓아 만듭니다.

3. 2번째 큰 수는 가장 큰 수에서 일의 자리 숫자를 바꾸어 만들고, 3번째 큰 수는 2번째 큰 수에서 일의 자리 숫자를 바꾸어 만듭니다.

4. 2번째 작은 수는 가장 작은 수에서 일의 자리 숫자를 바꾸어 만들고, 3번째 작은 수는 2번째 작은 수에서 일의 자리 숫자를 바꾸어 만듭니다.

1. 수 카드를 한 번씩 사용하여 만들 수 있는 두 자리 수 중 가장 큰 수와 가장 작은 수를 차례로 쓰세요.

2. 수 카드를 한 번씩 사용하여 만들 수 있는 두 자리 수 중 4번째 큰 수와 4번째 작은 수를 차례로 쓰세요.

| 조건과 수 |

1. 크기 조건에 맞는 두 자리 수를 만들 때에는 십의 자리에 알맞은 숫자, 세 자리 수를 만들 때에는 백의 자리에 알맞은 숫자부터 생각합니다.

2. 남은 자리에 사용하지 않은 숫자를 넣어 크기 조건에 맞는 수를 만듭니다.

1. 수 카드를 한 번씩 사용하여 만들 수 있는 **37**보다 크고 **80**보다 작은 수는 모두 몇 개입니까?

2. 수 카드를 한 번씩 사용하여 조건을 모두 만족하는 수를 만드세요.

- 두 자리 수입니다.
- 짝수입니다.
- 조건에 맞는 수 중 가장 큰 수입니다.

4 수 퍼즐

스도쿠 퍼즐 완성하기

1. 스도쿠 퍼즐은 가로, 세로, 굵은 선으로 나누어진 부분에 각각 다른 수가 한 번씩만 들어가는 퍼즐입니다.

2. 가로, 세로에 빈칸이 1개인 곳을 찾아 알맞은 수를 씁니다.

3. 2에서 수를 쓴 후 다시 남은 빈칸이 1개인 곳에 알맞은 수를 씁니다.

4. 빈칸에 수가 한 번씩만 들어가도록 알맞은 수를 써서 스도쿠를 완성합니다.

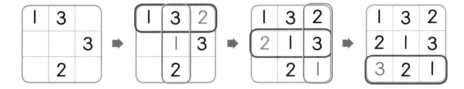

---

1. 가로, 세로, 굵은 선으로 나누어진 부분에 1, 2, 3, 4가 각각 한 번씩만 들어가도록 빈칸에 알맞은 수를 쓰세요.

	1		
	2	3	1
1	4	2	
		1	

2. 가로, 세로, 굵은 선으로 나누어진 부분에 1, 2, 3, 4가 각각 한 번씩만 들어가도록 빈칸에 알맞은 수를 쓰세요.

	3	1	
4	1		
3			1
	2		3

노노그램 완성하기

1. 노노그램은 사각형의 위, 옆에 있는 수만큼 연속하여 칸을 색칠하는 퍼즐입니다.

2. 전체를 모두 색칠하는 줄을 먼저 색칠합니다.

3. 절대 색칠하지 않는 칸을 찾아 모두 ✕표 합니다.

4. 사각형의 위, 옆의 수에 맞게 빈칸을 색칠하여 노노그램을 완성합니다.

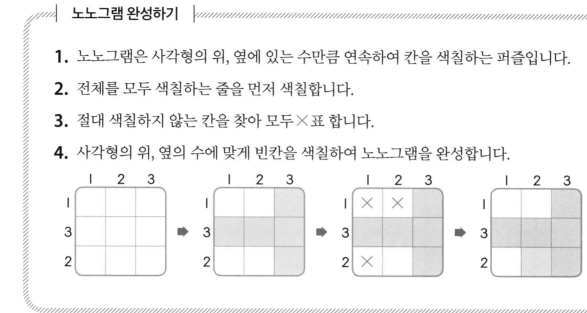

---

1. 사각형 밖에 있는 수는 그 줄에 연속하여 색칠한 칸의 수를 나타냅니다. 다음 노노그램 퍼즐을 완성 하세요.

5 여러 가지 패턴

패턴의 마디와 증감패턴

1. 규칙에 따라 순서대로 늘어놓고, 반복하는 것을 패턴이라고 합니다.

2. 패턴에서 규칙적으로 반복되는 부분을 패턴의 마디라고 합니다.

패턴의 마디

3. 패턴의 마디를 알면 패턴의 빈 곳에 마디가 반복되도록 모양을 넣을 수 있습니다.

4. 증감패턴: 개수가 일정하게 줄어들거나 늘어나는 패턴입니다.

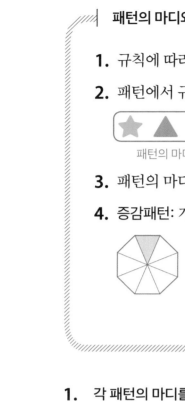

색칠한 칸이 1개씩 많아집니다.

1. 각 패턴의 마디를 찾아 ⬭로 묶으세요.

(1) ◻ ♡ ◻ ♡ ◻ ♡ ◻ ♡ ◻ ♡

(2) ☆ △ ☆ ☆ △ ☆ ☆ △ ☆

2. 규칙을 찾아 마지막 모양을 완성하세요.

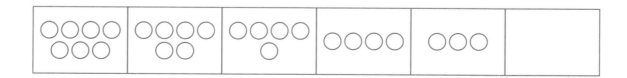

회전패턴과 반전패턴

1. 회전패턴: 주어진 모양이 일정한 방향으로 규칙적으로 회전합니다.

시계 반대 방향으로 1칸씩 회전합니다.

2. 반전패턴: 원래의 색을 반전한 모양이 규칙적으로 반복됩니다.

보라색은 흰색, 흰색은 보라색으로 반전됩니다.

1. 규칙을 찾아 5번째 모양과 6번째 모양을 완성하세요.

| 1번째 | 2번째 | 3번째 | 4번째 | 5번째 | 6번째 |

2. 규칙을 찾아 마지막 모양을 완성하세요.

이중패턴

1. 이중패턴: 두 가지 종류의 패턴이 동시에 나타나는 패턴입니다.

2. 패턴의 규칙을 찾을 때에는 모양, 색깔, 크기, 회전, 개수 규칙으로 나누어 생각합니다.

주황색, 초록색이 반복됩니다.

●, ■, ■이 반복됩니다.

: 색깔 규칙과 모양 규칙이 섞여 있습니다.

---

1. 규칙을 찾아 **5**번째 모양을 완성하세요.

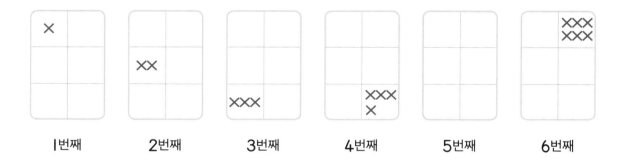

| |번째 | 2번째 | 3번째 | 4번째 | 5번째 | 6번째 |

---

2. 규칙에 따라 콘 위에 아이스크림을 올립니다. ㉠에 올 아이스크림의 맛과 개수를 구하세요.

딸기   민트   바나나   초코   ㉠

☐번째 모양 찾기

1. ☐번째 모양을 찾을 때에는 먼저 패턴의 마디를 찾습니다.

2. 이중패턴은 두 가지 패턴 규칙을 각각 생각하여 ☐번째 모양을 찾습니다.

○ ● ☆ ● ○ ★ ● ● ☆ ● ● ★ ‥‥‥ ☆
15번째

[모양 마디]

○	○	☆
1	2	3
4	5	6
7	8	9
10	11	12
13	14	⑮

[색깔 마디]

흰색	주황색	주황색	주황색
1	2	3	4
5	6	7	8
9	10	11	12
13	14	⑮	

➡ 15번째 모양은 주황색 ☆입니다.

1. 규칙을 찾아 15번째 모양을 그리세요.

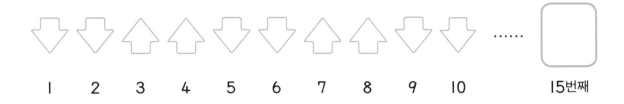

1 2 3 4 5 6 7 8 9 10 ‥‥‥ 15번째

2. 규칙을 찾아 15번째 모양을 그리세요.

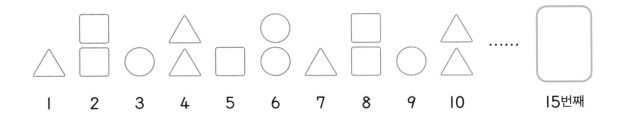

1 2 3 4 5 6 7 8 9 10 ‥‥‥ 15번째

| 관계 유비추론 |

1. 유비추론: 주어진 모양, 단어 등의 관계를 보고 같은 관계에 놓인 것을 찾는 것입니다.

2. 관계 유비추론: ⬌의 왼쪽에 있는 모양, 단어 등의 관계와 ⬌의 오른쪽에 있는 모양, 단어 등의 관계가 같은 것을 찾는 것입니다.

➡ 흰색 도형이 파란색 도형으로 색이 바뀝니다.

딸기 : 빨간색 ⬌ 바나나 : 노란색

➡ 딸기는 빨간색, 바나나는 노란색입니다.

---

1. 관계가 다른 하나를 고르세요.

① 동물 – 강아지　　　② 가전제품 – 전자레인지　　　③ 가구 – 침대
④ 필통 – 피아노　　　⑤ 학용품 – 가위

2. 관계가 같도록 빈 곳에 알맞은 모양을 그리세요.

매트릭스 유비추론

1. 매트릭스 유비추론: 표의 가로줄과 세로줄에 놓인 도형 또는 단어 등의 관계를 보고
빈 곳에 알맞은 도형 또는 단어를 추리하는 것입니다.

2. 표의 각 가로줄에 놓인 두 도형 사이의 관계가 서로 같습니다.

3. 표의 각 세로줄에 놓인 두 도형 사이의 관계가 서로 같습니다.

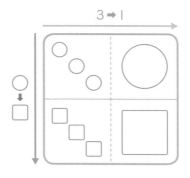

1. 규칙을 찾아 빈 곳에 알맞은 단어를 쓰세요.

(1)

	경찰관
소방서	소방관

(2)

장미	
복숭아	과일

2. 규칙을 찾아 빈 곳에 알맞은 모양을 그리세요.

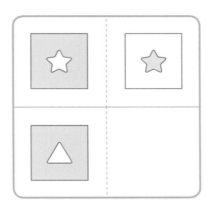

영재 사고력수학

필즈

초등학교 1, 2학년을 위한

베이직 상 _ 수·연산, 패턴

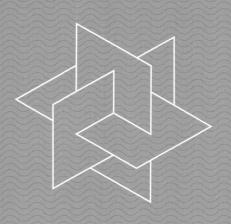

매쓰러닝

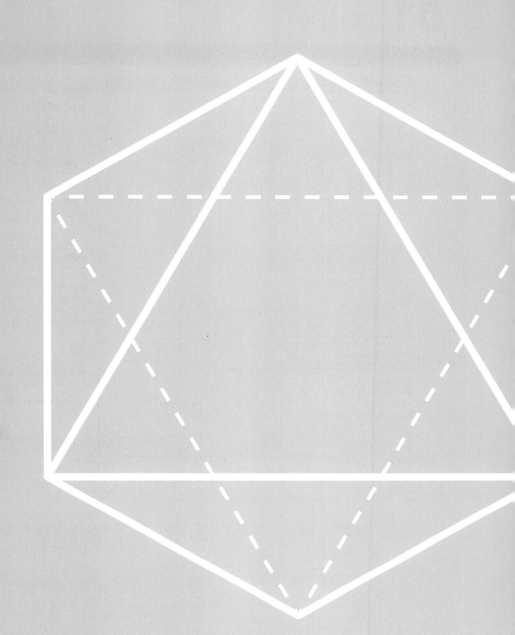

정답 및 해설

01 고대의 수

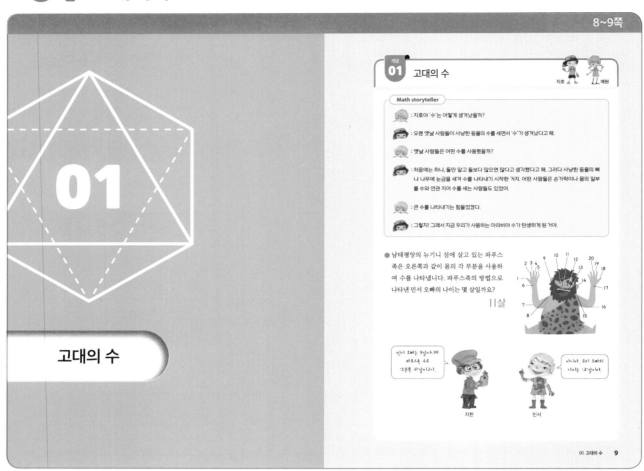

파푸스족 원주민은 몸의 각 부분으로 수를 나타냅니다.
코는 11을 나타내므로, 민서의 오빠는 11살입니다.

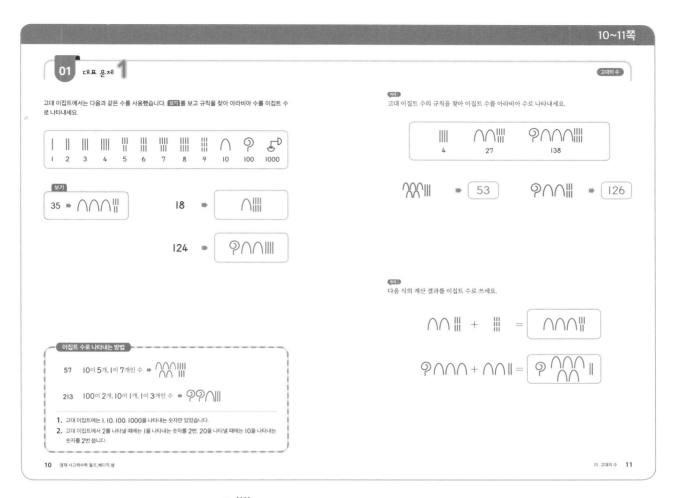

1) 18은 10이 1개, 1이 8개입니다. ➡ ∩||||||

2) 124는 100이 1개, 10이 2개, 1이 4개입니다.

➡ ℉∩∩||||

예제 1

1) ∩(10)이 5개, |(1)이 3개이므로 53입니다.

2) ℉(100)이 1개, ∩(10)이 2개, |(1)이 6개이므로 126입니다.

예제 2

1) 26+9=35

2) 130+22=152

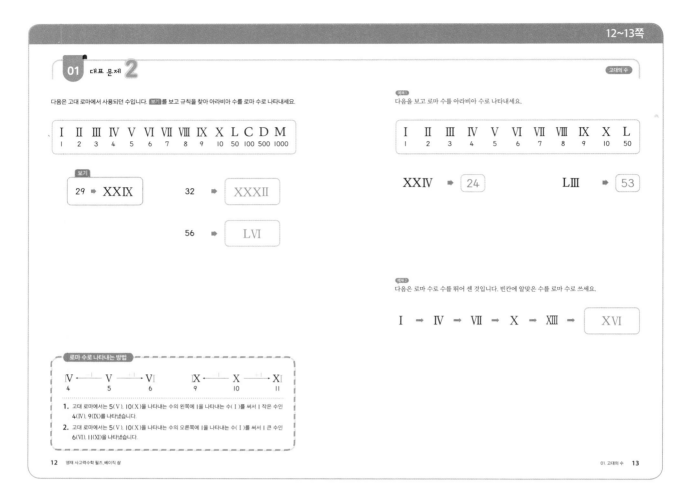

1) 32는 10이 3개, 1이 2개입니다. ➡ XXXII
2) 56은 10이 5개, 1이 6개입니다. ➡ LVI

예제 1

1) X(10)이 2개와 IV(4)가 있으므로 20+4=24입니다.
2) L(50)이 1개와 III(3)이 있으므로 50+3=53입니다.

예제 2

1) 1 → 4 → 7 → 10 → 13 → ☐
   1부터 3씩 뛰어 세기를 했습니다.

2) 13+3= 16 , 16은 XVI입니다.

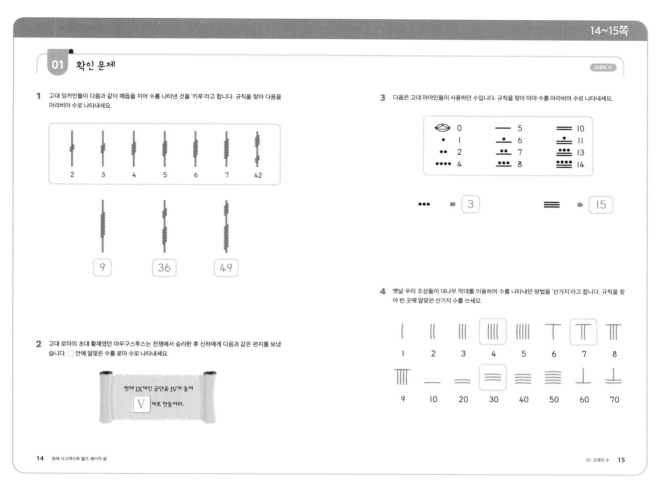

1 매듭의 개수가 수를 나타내고, 위의 매듭은 십의 자리 숫자, 아래 매듭은 일의 자리 숫자입니다.

2 1) IX＝9, IV＝4
   2) 9－4＝5
   3) 5를 로마 수로 나타내면 V입니다.

3 마야 수 ●은 1, ━━은 5를 나타냅니다.

4 산가지로 나타낸 수에서 │, ┬, ━━ 이 나타내는 수를 이해하면 빈 곳에 알맞은 수를 산가지로 그릴 수 있습니다.

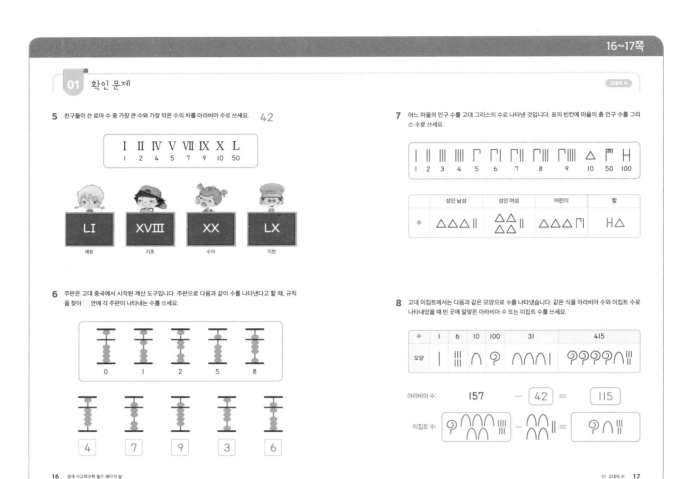

5 1) Ⅼ Ⅰ＝51, ⅩⅧ＝18, ⅩⅩ＝20, ⅬⅩ＝60
2) 가장 큰 수: 60, 가장 작은 수: 18
3) 60－18＝42

6 주판에서 위의 주판알은 5, 아래 주판알은 1을 나타냅니다.

7 1) 성인 남성 32, 성인 여성 42, 어린이 36
2) 32＋42＋36＝110(명)

8 1) 157 － ⓐ ＝ ⓑ

⟨ⓒ⟩－ ∩∩ Ⅱ ＝ ⓓ

2) 두 식이 같은 식이므로 ㉠＝42,
㉡＝157－42＝115입니다.
3) ㉢에는 157, ㉣에는 115를 이집트 수로 나타냅니다.

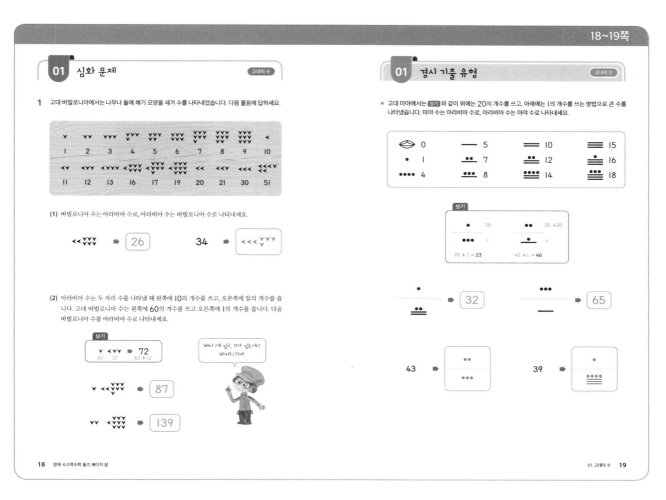

1 (1) 1) 바빌로니아 수 ▼은 1, ◀은 10을 나타냅니다.

　　2) ◀(10)이 2개, ▼(1)이 6개이므로
　　　　20＋6＝26을 나타냅니다.

　　3) 34는 10이 3개, 1이 4개이므로 ◀을 3개,
　　　　▼을 4개 그립니다.

(2) 1) 앞에 있는 ▼은 60을 나타냅니다.
　　　　▼이 1개면 60, ▼이 2개면 60＋60＝120입
　　　　니다.

　　2) ▼(60)이 1개, ◀(10)이 2개, ▼(1)이 7개이므
　　　　로 60＋20＋7＝87을 나타냅니다.

　　3) ▼(60)이 2개, ◀(10)이 1개, ▼(1)이 9개이므
　　　　로 60＋60＋10＋9＝139를 나타냅니다.

● **1)** 위에 있는 ●은 20을 나타냅니다.

2)

●	●●●
●● (두 막대)	— (막대)

　20＋12＝32　　　20＋20＋20＋5＝65

3) 43＝20＋20＋3

4) 39＝20＋19

02 수와 숫자

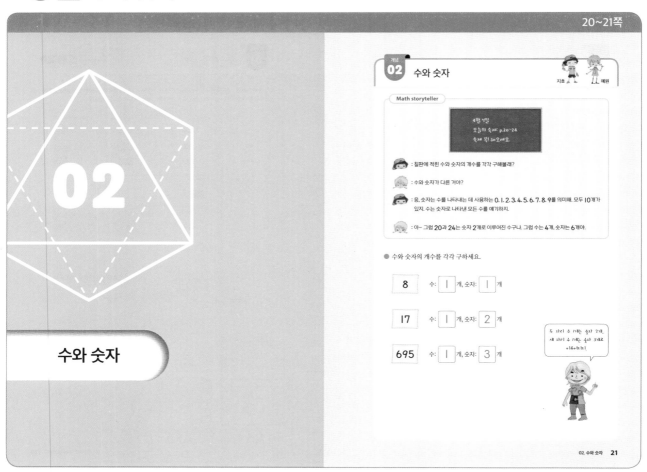

1) 한 자리 수는 수의 개수와 숫자의 개수가 같습니다.
2) 두 자리 수의 숫자의 개수는 수의 개수의 **2**배입니다.
3) 세 자리 수의 숫자의 개수는 수의 개수의 **3**배입니다.

02 대표 문제 1

1부터 15까지의 수 카드가 있습니다. 수와 숫자의 개수를 각각 구하세요.

| 1 | 2 | 3 | …… | 14 | 15 |

수: $\boxed{15}$ 개, 숫자: $\boxed{21}$ 개

예제 1

수와 숫자의 개수를 각각 구하세요.

| 3 | 15 | 123 | 8 | 19 | 7 |

수: $\boxed{6}$ 개, 숫자: $\boxed{10}$ 개

예제 2

민서가 3월 4일부터 3월 14일까지 제주도로 여행을 갑니다. 민서가 여행하는 날짜에 있는 숫자의 개수를 구하세요. *16개*

3월

일	월	화	수	목	금	토
1	2	3	4	5	6	7
8	9	10	11	12	13	14
15	16	17	18	19	20	21
22	23	24	25	26	27	28
29	30	31				

수와 숫자의 개수

5부터 15까지의 수와 숫자의 개수를 구하세요.

① 한 자리 수: 수의 개수 5개, 숫자의 개수 $\boxed{5}$ 개 (5, 6, 7, 8, 9)

② 두 자리 수: 수의 개수 6개, 숫자의 개수 $\boxed{6}$ + $\boxed{6}$ = $\boxed{12}$ (개) (10, 11, 12, 13, 14, 15)

③ 5부터 15까지의 수의 개수: $\boxed{5}$ + $\boxed{6}$ = $\boxed{11}$ (개)

숫자의 개수: $\boxed{5}$ + $\boxed{12}$ = $\boxed{17}$ (개)

1. 한 자리 수는 숫자의 개수와 수의 개수가 같습니다.
2. 두 자리 수는 숫자의 개수가 수의 개수의 2배입니다.
3. 한 자리 수와 두 자리 수의 개수를 알면 숫자의 개수를 알 수 있습니다.

---

1) 1부터 15까지 수와 숫자의 개수를 구합니다.
2) 한 자리 수 1~9 ➡ 수: 9개, 숫자: 9개
3) 두 자리 수 10~15 ➡ 수: 6개, 숫자: 6+6=12(개)
4) 수의 개수: 9+6=15(개)
   숫자의 개수: 9+12=21(개)

예제 1

1) 수: 3, 15, 123, 8, 19, 7 ➡ 6개
2) 숫자 : 3, 1, 5, 1, 2, 3, 8, 1, 9, 7 ➡ 10개

예제 2

1) 4부터 14까지 숫자의 개수를 구합니다.
2) 한 자리 수 4~9 ➡ 수: 6개, 숫자: 6개
3) 두 자리 수 10~14 ➡ 수: 5개, 숫자: 5+5=10(개)
4) 숫자의 개수: 6+10=16(개)

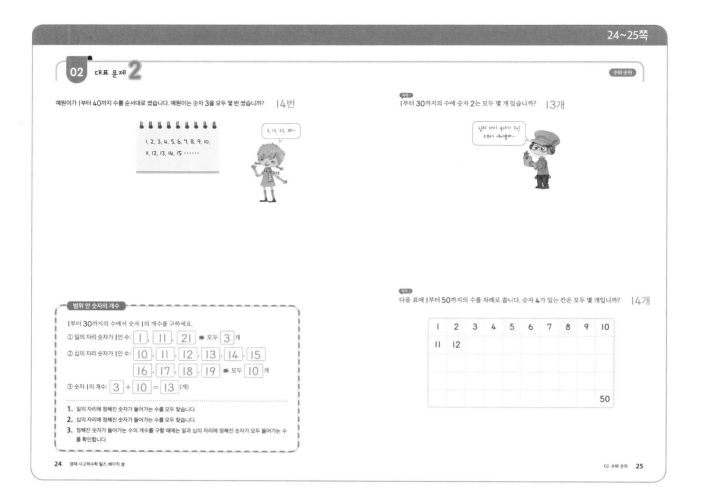

1) 일의 자리에 있는 숫자 **3**과 십의 자리에 있는 숫자 **3**의 개수를 구분하여 구합니다.

2) 일의 자리: 3, 13, 23, 33 ➡ **4**개
십의 자리: 30 ~ 39 ➡ **10**개

3) 숫자 **3**을 쓴 횟수: 4+10=**14**(번)

예제 1

1) 일의 자리: 2, 12, 22 ➡ **3**개
십의 자리: 20 ~ 29 ➡ **10**개

2) 숫자 **2**의 개수: 3+10=**13**(개)

예제 2

1) 일의 자리: 4, 14, 24, 34, 44 ➡ **5**개
십의 자리: 40~49 ➡ **10**개

2) 일의 자리, 십의 자리 숫자가 모두 **4**인 수: 44 ➡ **1**개

3) 숫자 **4**가 있는 칸의 개수: 5+10-1=**14**(개)

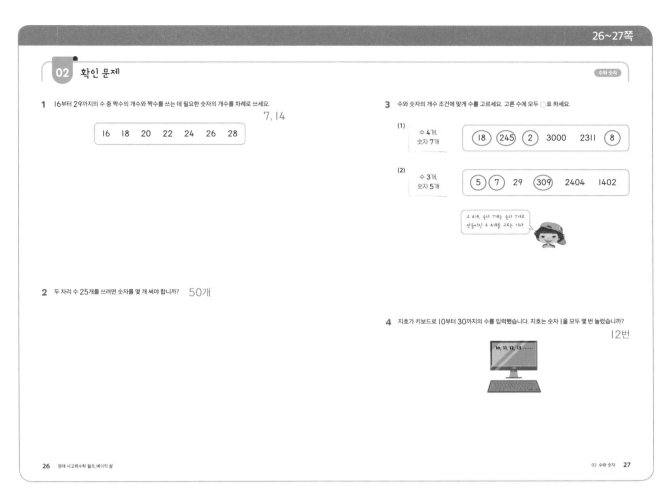

02 확인 문제

1 16부터 29까지의 수 중 짝수의 개수와 짝수를 쓰는 데 필요한 숫자의 개수를 차례로 쓰세요.

7, 14

| 16 | 18 | 20 | 22 | 24 | 26 | 28 |

2 두 자리 수 25개를 쓰려면 숫자를 몇 개 써야 합니까? 50개

3 수와 숫자의 개수 조건에 맞게 수를 고르세요. 고른 수에 모두 ○표 하세요.

(1) 수 4개, 숫자 7개   ⑱ ㉔⑤ ② 3000 2311 ⑧

(2) 수 3개, 숫자 5개   ⑤ ⑦ 29 ㉚⑨ 2404 1402

수 4개, 숫자 7개는 숫자 7개로 만들어지 수 4개를 고르는 거야.

4 지호가 키보드로 10부터 30까지의 수를 입력했습니다. 지호는 숫자 1을 모두 몇 번 눌렀습니까?

12번

10, 11, 12, 13 ……

---

1 1) 수: 16, 18, 20, 22, 24, 26, 28 ➡ 7개
　　2) 숫자 : 7+7=14(개)

2 1) 두 자리 수의 숫자의 개수는 수의 개수의 2배입니다.
　　2) 숫자의 개수: 25+25=50(개)

3 1) 각 수의 숫자의 개수를 생각합니다.
　　2) 숫자 개수의 합이 7이 되는 수 4개와 숫자 개수의
　　　합이 5가 되는 수 3개를 고릅니다.

4 1) 일의 자리: 11, 21 ➡ 2개
　　　십의 자리: 10 ~ 19 ➡ 10개
　　2) 숫자 1을 누른 횟수: 2+10=12(번)

02 확인 문제

5 프린터가 6부터 16까지의 수를 인쇄하고 있습니다. 프린터가 숫자 1개를 인쇄하는 데 1초가 걸린다면, 인쇄하는 데 모두 몇 초가 걸리는지 구하세요. 18초

6 4월 달력에서 찾을 수 있는 수의 개수와 숫자의 개수를 차례로 쓰세요. 31, 52

4월

일	월	화	수	목	금	토
1	2	3	4	5	6	7
8	9	10	11	12	13	14

7 민서가 1부터 30까지의 수를 차례로 쓰려고 합니다. 민서는 숫자 1과 3 중 어느 것을 몇 번 더 쓰는지 구하세요. 1, 9번

8 어느 도서관의 책에 1부터 차례로 번호 스티커를 붙입니다. 1번 책에는 스티커 ① 을, 12번 책에는 스티커 ① ② 를 붙입니다. 스티커를 모두 33장 붙였다면 책은 모두 몇 권입니까? 21권

5 **1)** 6부터 16까지 숫자의 개수를 구합니다.
　2) 한 자리 수 6~9 ➡ 수: 4개, 숫자: 4개
　3) 두 자리 수 10~16 ➡ 수: 7개,
　　　　　　　　　　숫자: $7+7=14$(개)
　4) 숫자의 개수: $4+14=18$(개)

6 **1)** 수: 4월은 30일까지 있으므로 4월의 4와 날짜 수를 더하여 구합니다. ➡ $1+30=31$(개)
　2) 한 자리 수 ➡ 수: 10개, 숫자: 10개
　　　두 자리 수 ➡ 수: $31-10=21$(개)
　　　　　　　　　숫자: $21+21=42$(개)
　3) 숫자의 개수: $10+42=52$(개)

7 **1)** 숫자 1: 일의 자리: 1, 11, 21
　　　　　십의 자리: 10 ~ 19 　➡ 모두 13번
　2) 숫자 3: 일의 자리: 3, 13, 23
　　　　　십의 자리: 30 　　➡ 모두 4번
　3) 1을 3보다 $13-4=9$(번) 더 많이 씁니다.

8 **1)** 한 자리 수에 붙이는 스티커: 9장
　　　➡ 남은 스티커: $33-9=24$(장)
　2) 두 자리 수 □개를 쓰는데 필요한 숫자 24개
　　　□+□=24, □=12
　　　➡ 스티커를 붙인 두 자리 수 12개
　3) 책은 모두 $9+12=21$(권)입니다.

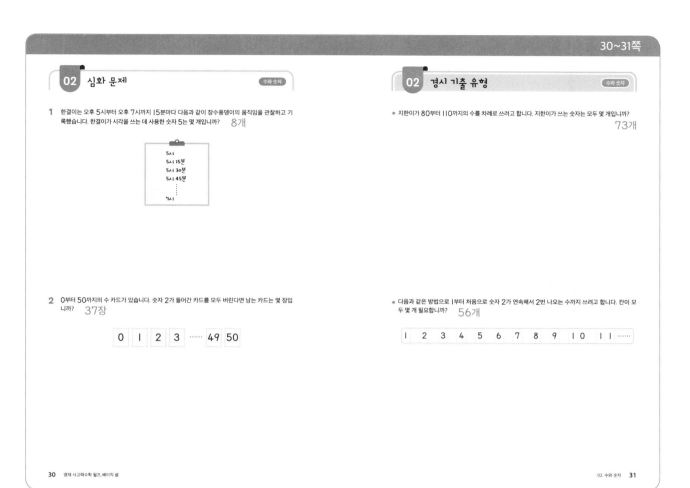

02 심화 문제 수와 숫자

1 한결이는 오후 5시부터 오후 7시까지 15분마다 다음과 같이 장수풍뎅이의 움직임을 관찰하고 기록했습니다. 한결이가 시각을 쓰는 데 사용한 숫자 5는 몇 개입니까?   8개

> 5시
> 5시 15분
> 5시 30분
> 5시 45분
> ⋮
> 7시

2 0부터 50까지의 수 카드가 있습니다. 숫자 2가 들어간 카드를 모두 버린다면 남는 카드는 몇 장입니까?   37장

| 0 | 1 | 2 | 3 | ⋯⋯ | 49 | 50 |

02 경시 기출 유형 수와 숫자

● 지한이가 80부터 110까지의 수를 차례로 쓰려고 합니다. 지한이가 쓰는 숫자는 모두 몇 개입니까?   73개

● 다음과 같은 방법으로 1부터 처음으로 숫자 2가 연속해서 2번 나오는 수까지 쓰려고 합니다. 칸이 모두 몇 개 필요합니까?   56개

| 1 | 2 | 3 | 4 | 5 | 6 | 7 | 8 | 9 | 10 | 11 | ⋯⋯ |

---

1 1) 5시부터 7시까지 15분마다 시각을 기록해 보면 다음과 같습니다.
   5시, 5시 15분, 5시 30분, 5시 45분
   6시, 6시 15분, 6시 30분, 6시 45분
   7시
2) 숫자 5는 8개입니다.

2 1) 카드는 0부터 50까지 모두 51장입니다.
2) 숫자 2가 들어간 수의 개수를 구합니다.
3) 일의 자리: 2, 12, 22, 32, 42 ➡ 5개
   십의 자리: 20 ~ 29 ➡ 10개
4) 일의 자리, 십의 자리 숫자가 모두 2인 수: 22 ➡ 1개
5) 숫자 2가 있는 카드: 5＋10－1＝14(장)
6) 남은 카드: 51－14＝37(장)

● 1) 두 자리 수: 80~99
   ➡ 수: 20개, 숫자: 20＋20＝40(개)
2) 세 자리 수: 100~110
   ➡ 수: 11개, 숫자: 11＋11＋11＝33(개)
3) 숫자의 개수: 40＋33＝73(개)

● 1) 처음으로 숫자 2가 2번 나오는 수는 22입니다.
2) 1부터 22까지 숫자: 9＋13＋13＝35(개)
3) 띄어쓰기 한 칸의 개수: 22－1＝21(개)
4) 칸의 개수: 35＋21＝56(개)

03 카드로 만든 수

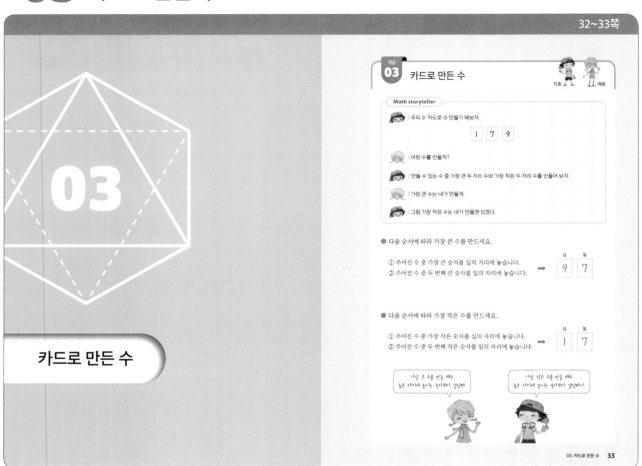

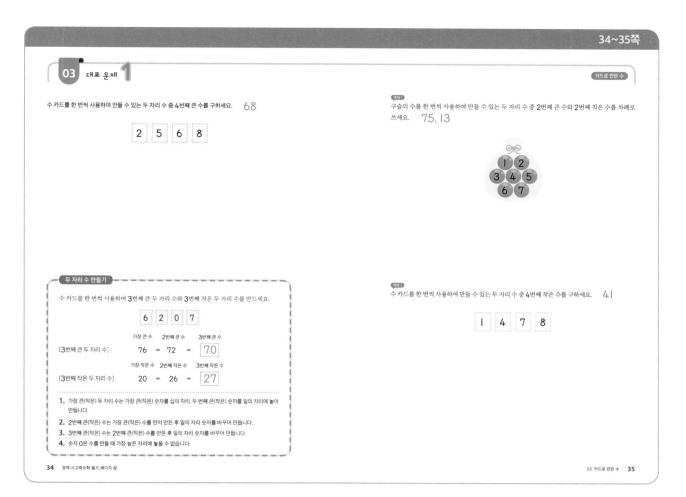

1) 가장 큰 두 자리 수부터 차례로 만듭니다.
　86, 85, 82, 68 ……
2) 4번째 큰 수: 68

예제 1

1) 가장 큰 두 자리 수부터 차례로 만듭니다.
　76, 75 ……
2) 가장 작은 두 자리 수부터 차례로 만듭니다.
　12, 13 ……
3) 2번째 큰 수: 75, 2번째 작은 수: 13

예제 2

1) 가장 작은 두 자리 수부터 차례로 만듭니다.
　14, 17, 18, 41 ……
2) 4번째 작은 수: 41

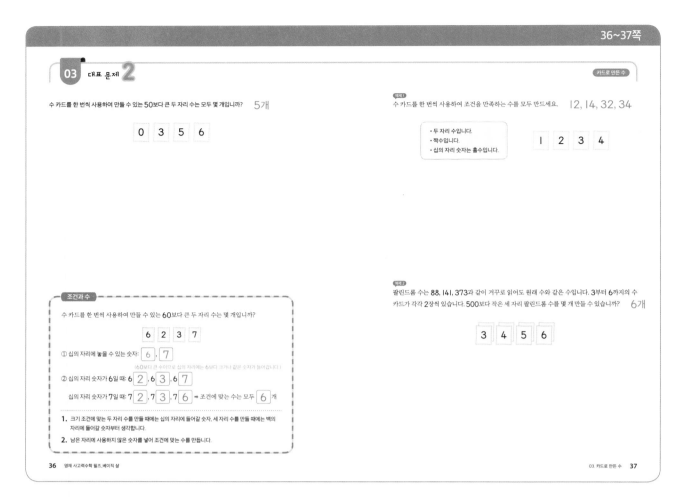

1) 십의 자리에 들어갈 수 있는 숫자는 5, 6입니다.
2) ① 5□: 53, 56
   ② 6□: 60, 63, 65
3) 조건에 맞는 수는 모두 5개입니다.

예제 1

일의 자리 숫자를 2, 4로 나누어 생각합니다.
   ① □2: 12, 32
   ② □4: 14, 34

예제 2

1) 500보다 작은 세 자리 팔린드롬 수의 백의 자리와 일의 자리에 들어갈 수 있는 숫자는 3, 4입니다.
2) ① 3□3: 343, 353, 363
   ② 4□4: 434, 454, 464
3) 조건에 맞는 수는 모두 6개입니다.

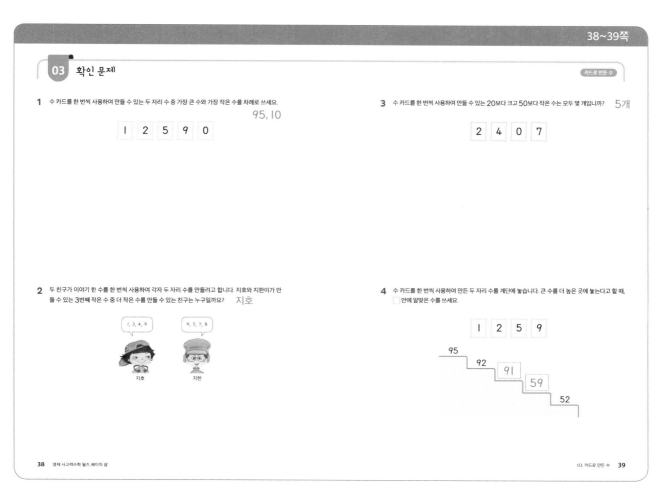

1 **1)** 가장 큰 두 자리 수를 만들 때에는 십의 자리에 가장
큰 숫자, 일의 자리에 두 번째 큰 숫자를 놓습니다.
➡ 95

  2) 가장 작은 두 자리 수를 만들 때에는 십의 자리에 0
을 제외한 가장 작은 숫자, 일의 자리에 남은 숫자 중
가장 작은 숫자를 놓습니다. ➡ 10

2 **1)** 지호가 만드는 수를 가장 작은 수부터 차례로 씁니
다. ➡ 13, 14, 19 ……

  2) 지호가 만든 3번째 작은 수: 19

  3) 지한이가 만드는 수를 가장 작은 수부터 차례로 씁
니다. ➡ 20, 27, 28 ……

  4) 지한이가 만든 3번째 작은 수: 28

  5) 더 작은 수를 만든 사람은 지호입니다.

3 **1)** 십의 자리에 들어갈 수 있는 숫자는 2, 4입니다.

  2) ① 2□ : 24, 27
      ② 4□ : 40, 42, 47

  3) 조건에 맞는 수는 모두 5개입니다.

4 **1)** 가장 큰 두 자리 수부터 차례로 만듭니다.
95, 92, 91, 59, 52 ……

  2) □ 안에 알맞은 수는 위부터 차례로 91, 59입니다.

확인 문제

5 수 카드를 한 번씩 사용하여 만들 수 있는 35보다 크고 65보다 작은 수 중 가장 큰 수와 가장 작은 수를 차례로 쓰세요. 63, 36

| 0 | 3 | 5 | 6 | 9 |

7 구슬의 수를 한 번씩 사용하여 만들 수 있는 두 자리 수 중 5번째 큰 수와 5번째 작은 수를 차례로 쓰세요. 76, 67

6 0, 3, 5, 6, 7을 한 번씩 사용하여 만들 수 있는 두 자리 수 중 2번째 큰 짝수와 2번째 작은 홀수를 차례로 쓰세요. 70, 37

8 수 카드를 한 번씩 사용하여 만들 수 있는 두 자리 수 중 10개씩 묶음의 수가 낱개의 수보다 큰 수는 모두 몇 개입니까? 10개

| 1 | 2 | 4 | 6 | 8 |

10개씩 묶음의 수는 십의 자리 숫자, 낱개의 수는 일의 자리 숫자를 말하는 거야.

5 **1)** 십의 자리에 들어갈 수 있는 숫자는 3, 5, 6입니다.
2) 가장 큰 수의 십의 자리 숫자: 6,
가장 작은 수의 십의 자리 숫자: 3
3) 가장 큰 수: 63, 가장 작은 수: 36

6 **1)** 짝수를 만들 때 일의 자리에 들어갈 수 있는 숫자는 0, 6입니다.
2) 만들 수 있는 가장 큰 짝수는 76, 2번째 큰 짝수는 70입니다.
3) 홀수를 만들 때 일의 자리에 들어갈 수 있는 숫자는 3, 5, 7입니다.
4) 만들 수 있는 가장 작은 홀수는 35, 2번째 작은 홀수는 37입니다.

6 **1)** 가장 큰 두 자리 수부터 차례로 만듭니다.
87, 86, 83, 78, 76 ······
2) 5번째 큰 수: 76
3) 가장 작은 두 자리 수부터 차례로 만듭니다.
36, 37, 38, 63, 67 ······
4) 5번째 작은 수: 67

8 **1)** 십의 자리 숫자가 2, 4, 6, 8인 경우로 나누어 생각합니다.
① 2□: 21
② 4□: 41, 42
③ 6□: 61, 62, 64
② 8□: 81, 82, 84, 86
2) 만들 수 있는 수는 1+2+3+4=10(개)입니다.

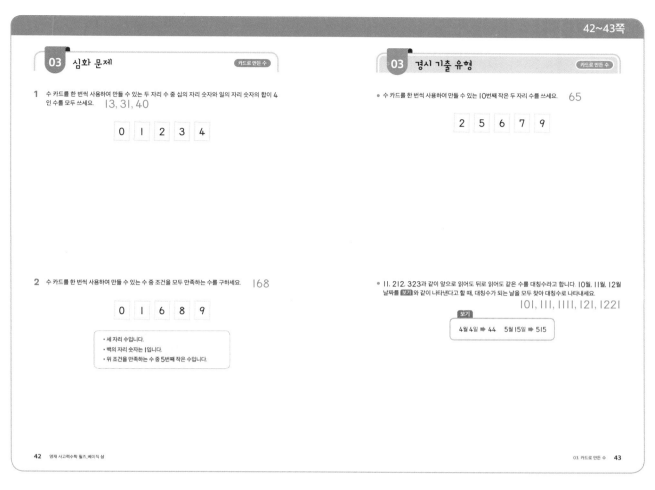

1 **1)** 합이 **4**인 수의 쌍은 **(1, 3)**, **(0, 4)**입니다.

    2) **(1, 3)**으로 만들 수 있는 두 자리 수는 **13**, **31**입니다.

    3) **(0, 4)**로 만들 수 있는 두 자리 수는 **40**입니다.

    4) 만들 수 있는 수는 **13**, **31**, **40**입니다.

2 **1)** 백의 자리 숫자가 **1**인 세 자리 수 : **1**□□

    2) 조건을 만족하는 수를 가장 작은 수부터 씁니다.

       106, **108**, **109**, **160**, **168** ……

    3) **5**번째 작은 수: **168**

● **1)** 가장 작은 수부터 차례로 씁니다.

    25, **26**, **27**, **29**, **52**, **56**, **57**, **59**, **62**, **65** ……

    2) **10**번째 작은 수: **65**

● **1)** **10**월 날짜가 대칭수가 되려면 **10**으로 시작하여 **1**로 끝나야 합니다.

    10월 **1**일 ➡ **101**

    2) **11**월 날짜가 대칭수가 되려면 **11**로 시작하여 **1**로 끝나야 합니다.

    11월 **1**일 ➡ **111**, **11**월 **11**일 ➡ **1111**

    3) **12**월 날짜가 대칭수가 되려면 **12**로 시작하여 **1**로 끝나야 합니다.

    12월 **1**일 ➡ **121**, **12**월 **21**일 ➡ **1221**

04 수 퍼즐

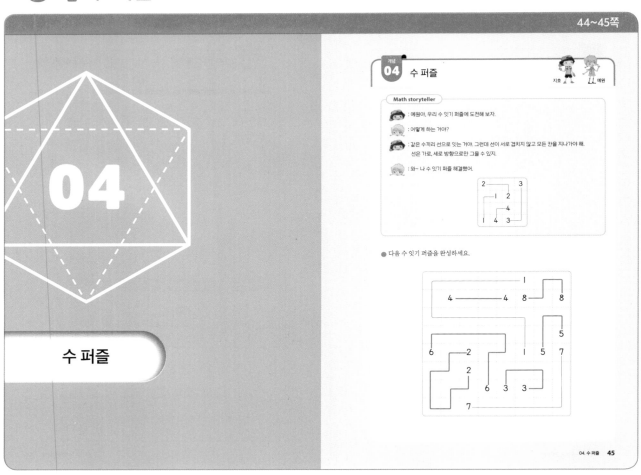

4, 8과 같이 수를 연결하는 방법이 가장 적은 수부터 선을 긋습니다.

04 대표 문제 1 수 퍼즐

스도쿠 퍼즐은 가로, 세로에 각각 다른 수가 한 번씩 들어가는 퍼즐입니다. 가로, 세로에 1, 2, 3이 각각 한 번씩만 들어가는 스도쿠 퍼즐을 완성하세요.

1	3	2
3	2	1
2	1	3

3	2	1
1	3	2
2	1	3

2	1	3
1	3	2
3	2	1

스도쿠 퍼즐 완성하기

가로, 세로, 굵은 선으로 나누어진 부분에 1, 2, 3, 4가 한 번씩만 들어가도록 빈칸에 알맞은 수를 쓰세요.

1. 가로, 세로, 굵은 선으로 나누어진 부분 중 빈칸이 1개인 곳을 먼저 찾아 알맞은 수를 씁니다.
2. 1에서 수를 쓴 후 다시 빈칸이 1개인 곳을 찾아 알맞은 수를 씁니다.
3. 스도쿠의 남은 빈칸에 1, 2, 3, 4가 한 번씩 들어가도록 알맞은 수를 씁니다.

예제 1

가로, 세로, 굵은 선으로 나누어진 부분에 1, 2, 3, 4가 각각 한 번씩 들어가도록 빈칸에 알맞은 수를 써넣으세요.

2	3	4	1
4	1	2	3
1	2	3	4
3	4	1	2

예제 2

가로, 세로에 1, 2, 3, 4, 5가 각각 한 번씩만 들어가도록 빈칸에 알맞은 수를 써넣으세요.

2	5	1	3	4
4	1	2	5	3
5	4	3	2	1
3	2	4	1	5
1	3	5	4	2

1) 가로, 세로에 빈칸이 1개인 줄부터 먼저 수를 씁니다.

1	3	2
		1
		3

		1
		2
2	1	3

2	1	3
		2
		1

2) 가로, 세로로 수가 겹치지 않도록 빈칸에 알맞은 수를 써서 스도쿠를 완성합니다.

1	3	2
3	2	1
2	1	3

3	2	1
1	3	2
2	1	3

2	1	3
1	3	2
3	2	1

예제 1

2		4	1
4	1	2	3
1		3	4
	4	1	

➡

2	3	4	1
4	1	2	3
1	2	3	4
3	4	1	2

예제 2

		1	3	
4		2		3
5	4	3		1
	2	4		5
1	3	5	4	2

➡

		1	3	4
4		2		3
5	4	3	2	1
	2	4		5
1	3	5	4	2

➡

2	5	1	3	4
4		2		3
5	4	3	2	1
3	2	4		5
1	3	5	4	2

➡

2	5	1	3	4
4	1	2	5	3
5	4	3	2	1
3	2	4	1	5
1	3	5	4	2

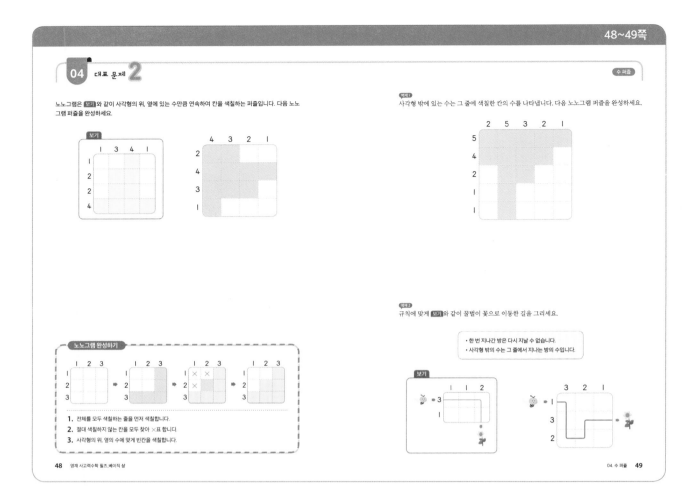

1) 방법이 한 가지인 줄을 먼저 채워 봅니다.
2) 색칠하지 않는 칸에 ✕표 합니다.

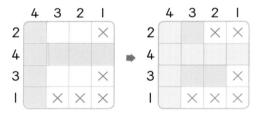

예제 1

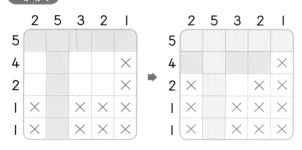

예제 2

1) 노노그램과 같은 방법으로 사각형 밖에 있는 수만큼 칸을 색칠합니다.
2) 색칠한 칸을 모두 지나도록 입구부터 출구까지 선을 잇습니다.

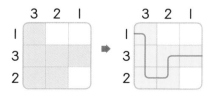

04 확인 문제

1 가로, 세로로 색칠한 칸의 수를 ☐ 안에 쓰세요.

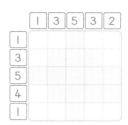

2 선이 겹치지 않고 모든 칸을 지나도록 합이 15가 되는 두 수를 선으로 이으세요. (단, 선은 가로나 세로 방향으로만 그을 수 있습니다.)

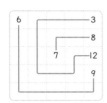

3 가로, 세로, 굵은 선으로 나누어진 부분에 1, 2, 3, 4가 각각 한 번씩만 들어가도록 빈칸에 알맞은 수를 쓰세요.

4 사각형 밖에 있는 수는 그 줄에 연속하여 색칠한 칸의 수를 나타냅니다. 다음 노노그램 퍼즐을 완성하세요.

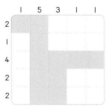

---

1 가로, 세로로 색칠한 칸의 개수를 ☐ 안에 씁니다.

2 1) 합이 15가 되는 두 수 (3, 12), (6, 9), (7, 8)을 선으로 잇습니다.

   2) 선을 잇는 방법이 한 가지인 (7, 8)을 먼저 선으로 잇습니다.

   3) (6, 9)보다 (3, 12)를 선으로 잇는 방법의 가짓수가 더 적으므로 (3, 12)를 먼저 이은 후 (6, 9)를 선으로 잇습니다.

3

4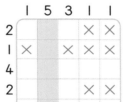

04 확인 문제

5 사각형 밖의 수는 ●, ●을 포함하여 그 줄에서 지나야 하는 점의 수입니다. ●부터 ●까지 선을 이어 퍼즐을 완성하세요. (단, 선은 가로, 세로 방향으로만 이을 수 있습니다.)

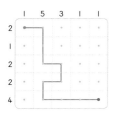

6 가로, 세로, 굵은 선으로 나누어진 부분에 1, 2, 3, 4, 5가 각각 한 번씩만 들어가도록 빈칸에 알맞은 수를 쓰세요.

7 가로, 세로, 굵은 선으로 나누어진 부분에 1, 2, 3, 4를 각각 한 번씩만 들어가도록 수를 넣어 퍼즐을 완성하는 방법이 2가지입니다. 서로 다른 방법으로 퍼즐을 완성하세요.

8 다음 규칙에 따라 예원이가 집으로 갑니다. 예원이가 가는 길을 선으로 나타내세요.

- 한 번 통과한 칸은 다시 지나갈 수 없습니다.
- 왼쪽에 적힌 수는 가로, 위에 적힌 수는 세로로 통과할 수 있는 칸의 수를 나타냅니다.

---

5 1) 노노그램과 같은 방법으로 지나는 칸을 색칠합니다.
  2) 색칠한 칸을 모두 지나도록 점을 잇습니다.

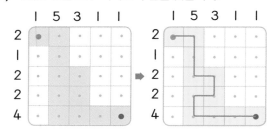

6

 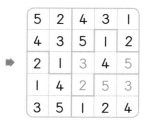

7 1) 빈칸에 확실한 수를 모두 씁니다.
  2) 남은 빈칸에 들어갈 수 있는 수의 위치를 바꾸어 가며 스도쿠를 완성합니다.

8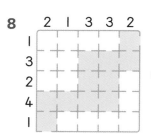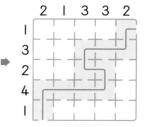

04 심화 문제 수 퍼즐

1 가로, 세로, 굵은 선으로 나누어진 부분에 I, 2, 3, 4, 5가 각각 한 번씩만 들어가도록 수를 넣은 것입니다. 지워진 굵은 선을 모두 그리세요.

2 사각형 밖에 있는 수는 보기와 같이 그 줄에 연속으로 색칠한 칸의 수를 나타냅니다. 보기와 같은 방법으로 빈칸을 알맞게 색칠하세요.

 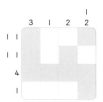

---

 04 경시 기출 유형 수 퍼즐

● 가로, 세로, 굵은 선으로 나누어진 부분에 I부터 9까지의 수가 각각 한 번씩만 들어가도록 수를 쓰세요.

---

1 **1)** 굵은 선으로 나누어진 부분의 수와 중복되는 수를 굵은 선으로 나눕니다.

2) 다른 굵은 선과 연결하여 숫자가 한 번씩만 들어가도록 선을 긋습니다.

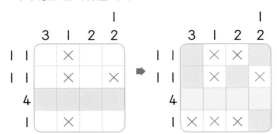

2 사각형 밖에 수가 2개 있는 줄은 색칠된 칸 사이에 색칠되지 않은 칸이 있습니다.

9		6	8	I	7	5		4
	7		2	9	5	8	3	6
2			4	6	3	7		I
	2	9	I	3	4	6	8	5
6	8	5	9	7	2	4	I	3
	4	3	5			9	7	2
3		7	2	8				9
5	9	7	3		I		6	8
8	I	2	6	5	9	3	4	7

9	3	6	8	I	7	5	2	4
4	7	I	2	9	5	8	3	6
2	5	8	4	6	3	7	9	I
7	2	9	I	3	4	6	8	5
6	8	5	9	7	2	4	I	3
I	4	3	5	8	6	9	7	2
3	6	4	7	2	8	I	5	9
5	9	7	3	4	I	2	6	8
8	I	2	6	5	9	3	4	7

05 여러 가지 패턴

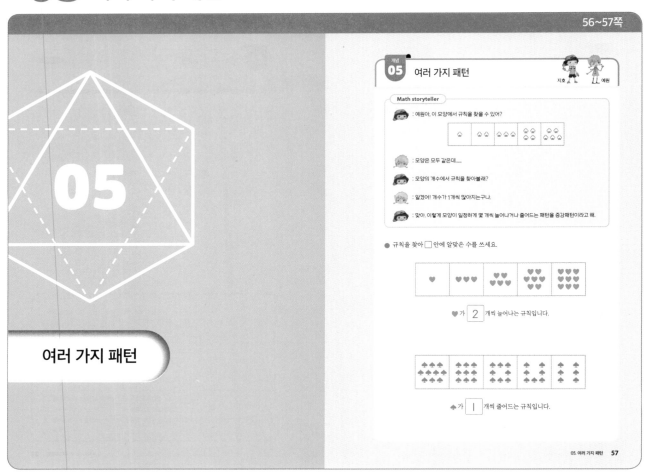

증감패턴은 모양의 개수가 규칙적으로 늘어나거나 줄어드는 패턴입니다.

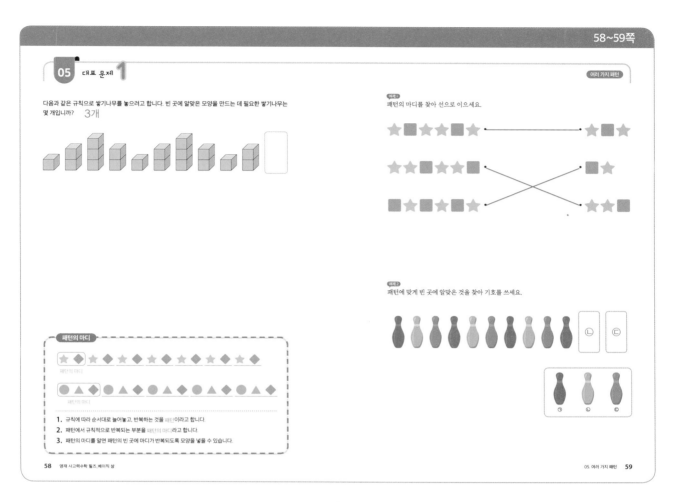

I층, 2층, 3층, 2층을 반복합니다.

I층 2층 3층 2층 I층 2층 3층 2층 I층 2층 3층

예제 1

예제 2

1) 패턴의 마디를 찾습니다.

2) 빨간색, 노란색, 파란색이 반복되는 패턴이므로 ①에는 노란색, ②에는 파란색 볼링핀이 들어갑니다.

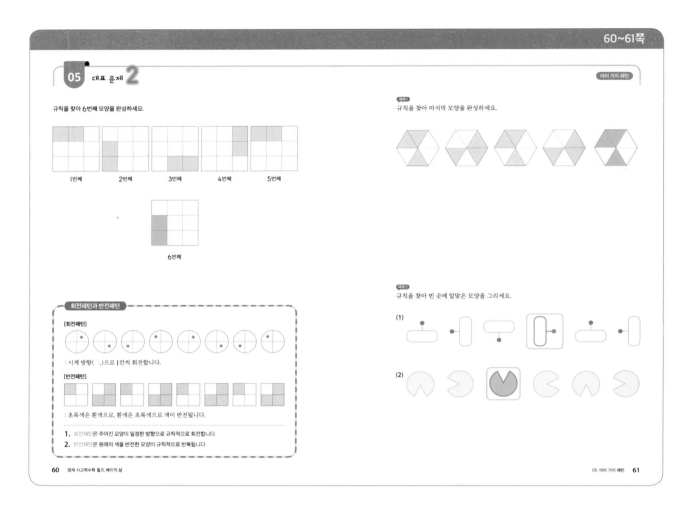

시계 반대 방향(↶)으로 **2**칸씩 회전하는 회전패턴입니다.

예제 1

색이 반전되는 반전패턴입니다.

예제 2

(1) 시계 반대 방향(↶)으로 회전하는 회전패턴입니다.
(2) 시계 방향(↷)으로 회전하는 회전패턴입니다.

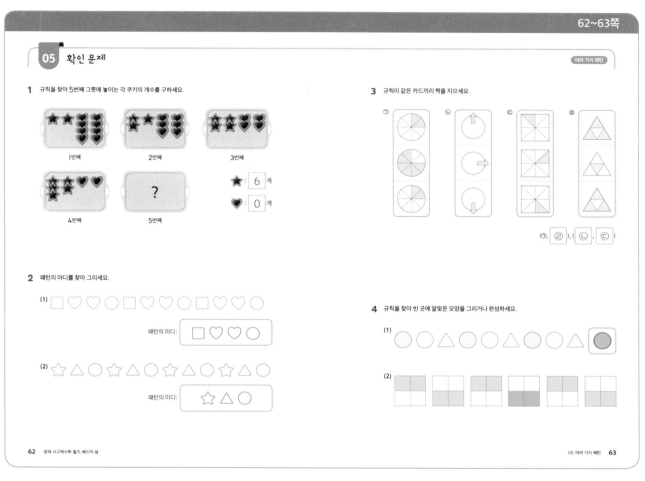

1 ⭐는 1개씩 많아지고, ❤는 2개씩 적어지는 증감패턴입니다.

3 1) ㉠, ㉣은 반전패턴입니다.
2) ㉡, ㉢은 회전패턴입니다.

4 (1) 패턴의 마디가 ○○△이므로 빈 곳에 올 모양은 ○입니다.
(2) 반전패턴입니다.

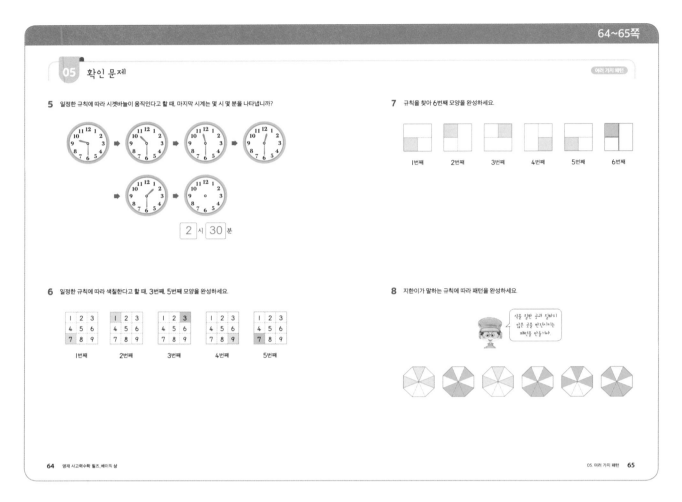

5 **1)** 시계의 짧은바늘이 시계 방향으로 I칸씩 회전하는 회전패턴입니다.

   2) 마지막 시계는 바로 앞의 시계가 I시 30분을 가리 키므로 2시 30분을 가리킵니다.

6 시계 방향(↻)으로 2칸씩 회전하는 패턴입니다.

7 시계 방향(↻)으로 회전하는 패턴입니다.

8 반전패턴입니다.

05 심화 문제

1 일정한 규칙에 따라 다음과 같이 사탕을 놓았습니다. 6번째 모양과 7번째 모양을 만드는 데 필요한 사탕은 모두 몇 개입니까? 52개

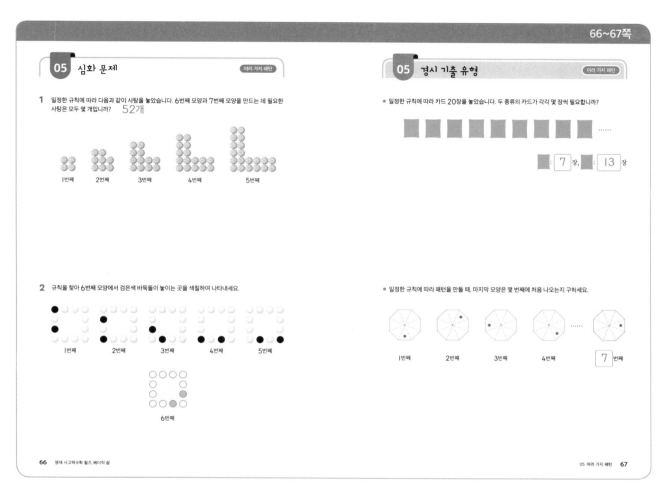

2 규칙을 찾아 6번째 모양에서 검은색 바둑돌이 놓이는 곳을 색칠하여 나타내세요.

05 경시 기출 유형

● 일정한 규칙에 따라 카드 20장을 놓았습니다. 두 종류의 카드가 각각 몇 장씩 필요합니까?

■ : 7 장, ■ : 13 장

● 일정한 규칙에 따라 패턴을 만들 때, 마지막 모양은 몇 번째에 처음 나오는지 구하세요.

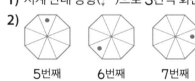

---

1 1) 사탕이 4개씩 많아지는 증감패턴입니다.

2)

6번째   7번째

3) 필요한 사탕: 24+28=52(개)

2 시계 반대 방향( )으로 1칸씩 회전하는 패턴입니다.

● 1) 패턴의 마디는 ■■■입니다.

2) 규칙에 맞게 카드 20장을 늘어놓으면 다음과 같습니다.

3) 카드 20장 중 ■는 7장, ■는 13장입니다.

● 1) 시계 반대 방향( )으로 3칸씩 회전합니다.

2)

5번째   6번째   7번째

3) 주어진 모양은 7번째에 처음 나옵니다.

06 이중패턴과 ☐번째 모양

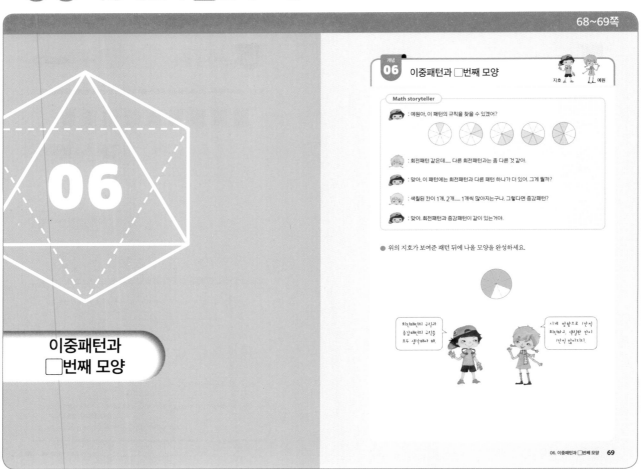

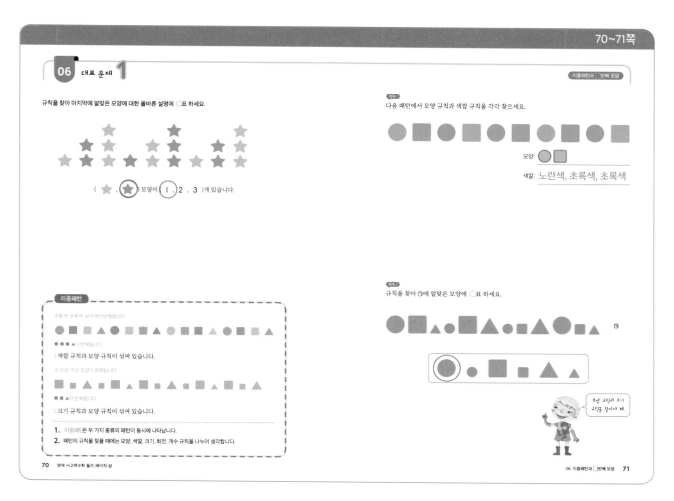

1) ⭐, ★이 반복됩니다.
2) ★가 1개, 2개, 3개씩 반복됩니다.

예제 1

색깔 규칙과 모양 규칙이 섞여 있습니다.

예제 2

1) ●, ■, ▲가 반복됩니다.
2) 큰 모양, 큰 모양, 작은 모양, 작은 모양이 반복됩니다.

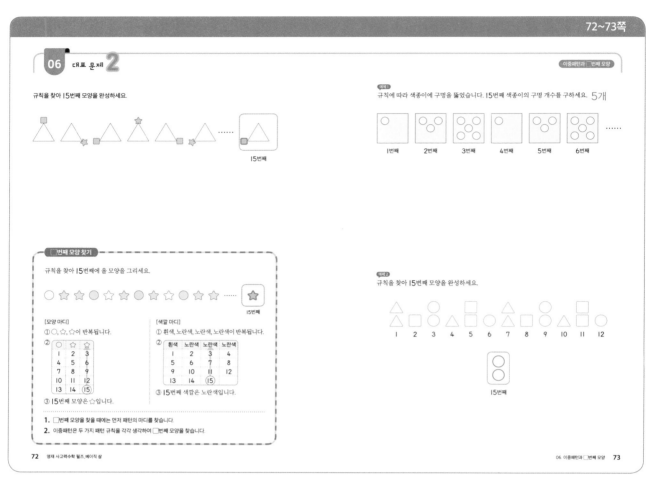

1) △ ①, ①, ②, ③ 순서대로 모양이 회전합니다.

2) ▢, ☆ 이 반복됩니다.

3)

①	②	③
1	2	3
4	5	6
7	8	9
10	11	12
13	14	15

▢	☆
1	2
3	4
5	6
7	8
9	10
11	12
13	14
15	

4) 15번째에는 ③ 위치에 ▢이 옵니다.

예제 1

1) 구멍 개수 규칙을 생각합니다.

2)

1개	3개	5개
1	2	3
4	5	6
7	8	9
10	11	12
13	14	15

3) 15번째 색종이의 구멍은 5개입니다.

예제 2

1) 개수 규칙: 2, 1   모양 규칙: △, ▢, ○

2)

2개	1개
1	2
3	4
5	6
7	8
9	10
11	12
13	14
15	

△	▢	○
1	2	3
4	5	6
7	8	9
10	11	12
13	14	15

3) 15번째 모양은 ○가 2개입니다.

확인 문제

1 다음 패턴에서 모양 규칙과 개수 규칙을 각각 찾으세요.

모양: ○, △, □

개수: 1, 2, 1, 4

2 규칙을 찾아 15번째 볼링핀의 색깔을 구하세요. 빨간색

15번째

3 지호와 지한이가 세 가지 카드 중 자신의 규칙에 따라 카드 한 장을 냅니다. 두 친구가 15번째 내는 카드를 각각 그리세요.

4 규칙을 찾아 13번째 알맞은 모양을 그리세요.

13번째

---

1 모양 규칙과 개수 규칙이 섞여 있습니다.

2 1) 규칙: 파란색, 파란색, 빨간색, 노란색

2)

파란색	파란색	빨간색	노란색
1	2	3	4
5	6	7	8
9	10	11	12
13	14	15	

3) 15번째 볼링핀은 빨간색입니다.

3 1) 지호의 규칙: ♡, ♧

2) 지한이의 규칙: ♧, ♡, ♤

3)

♡	♧
1	2
3	4
5	6
7	8
9	10
11	12
13	14
15	

♧	♡	♤
1	2	3
4	5	6
7	8	9
10	11	12
13	14	15

4) 15번째에 지호는 ♡, 지한이는 ♤를 냅니다.

4 1) 모양 규칙: □, △, ○, ☆

색깔 규칙: 보라색, 흰색, 흰색

크기 규칙: 크다, 작다

2) 13번째 모양은 보라색 큰 □입니다.

정답 및 해설 **35**

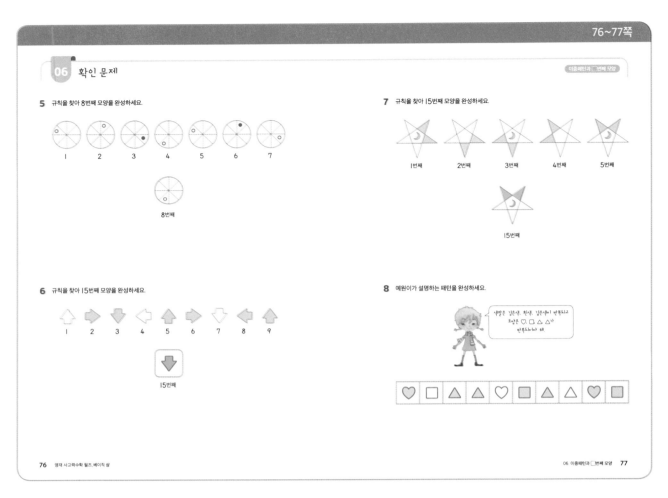

5 회전 규칙: 시계 방향 2칸씩, 모양 규칙: ○, ○, ●

6 1) 회전 규칙: 시계 방향
색깔 규칙: 흰색, 파란색, 파란색

2)

⇧	⇨	⇩	⇦
1	2	3	4
5	6	7	8
9	10	11	12
13	14	15	

흰색	파란색	파란색
1	2	3
4	5	6
7	8	9
10	11	12
13	14	15

3) 15번째 모양은 ⇩입니다.

7 1) 회전 규칙: 시계 방향 1칸씩
모양 규칙: 🌙 모양이 있다, 없다를 반복

2) 색깔 위치가 오른쪽 번호와 같을 때

①, ②	②, ③	③, ④	④, ⑤	⑤, ①
1	2	3	4	5
6	7	8	9	10
11	12	13	14	15

있다	없다
1	2
3	4
5	6
7	8
9	10
11	12
13	14
15	

3) 15번째 모양은 ⑤, ①에 색칠하고, 모양이 있습니다.

8 1) 모양 규칙에 맞게 빈칸에 모두 모양을 그립니다.
2) 색깔 규칙에 맞게 모양에 색을 칠합니다.

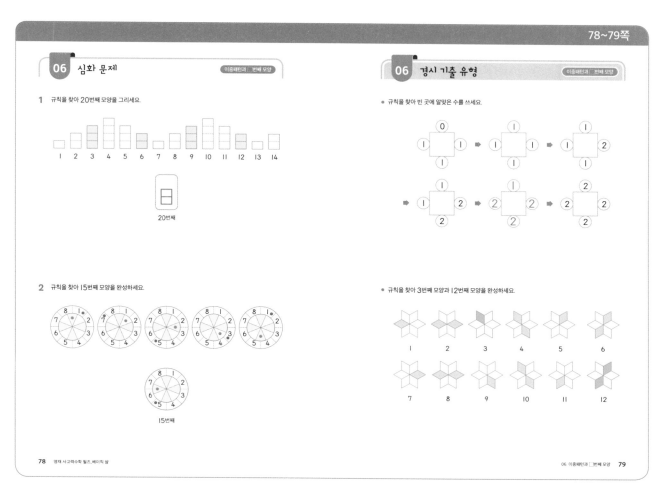

1 **1)** 색깔 규칙: 흰색, 흰색, 초록색
   개수 규칙: 1, 2, 3, 4, 3, 2

2)

흰색	흰색	초록색
1	2	3
4	5	6
7	8	9
10	11	12
13	14	15
16	17	18
19	20	

1	2	3	4	3	2
1	2	3	4	5	6
7	8	9	10	11	12
13	14	15	16	17	18
19	20				

3) 20번째 모양은 흰색 사각형 2개입니다.

2 **1)** 빨간색 공 규칙: 시계 방향 1칸씩 회전
   2) 파란색 공 규칙: 시계 반대 방향 2칸씩 회전

● 시계 방향으로 회전하며 1씩 더합니다.

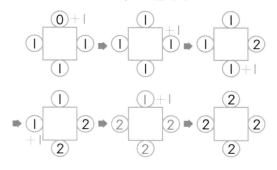

● **1)** 홀수 번째 모양의 규칙과 짝수 번째 모양의 규칙이
   다릅니다.
   2) 홀수 번째 규칙: 1칸씩 색칠된 모양이 시계 방향으로
      1칸씩 회전
   3) 짝수 번째 규칙: 2칸씩 색칠된 모양이 시계 방향으로
      1칸씩 회전

07 유비추론

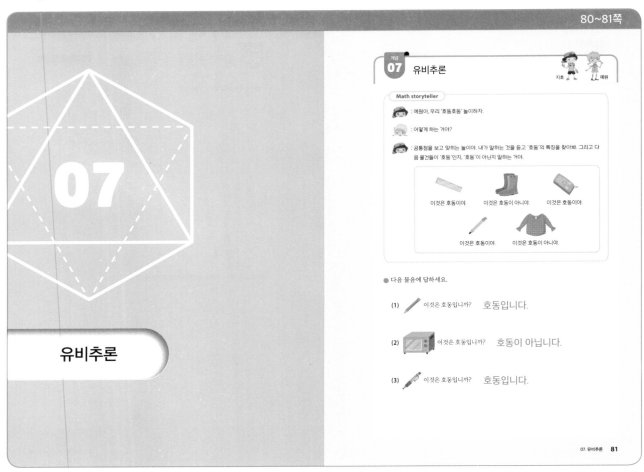

1) 호동은 학용품입니다.
2) 연필과 샤프는 학용품이므로 호동, 전자레인지는 전자제품이므로 호동이 아닙니다.

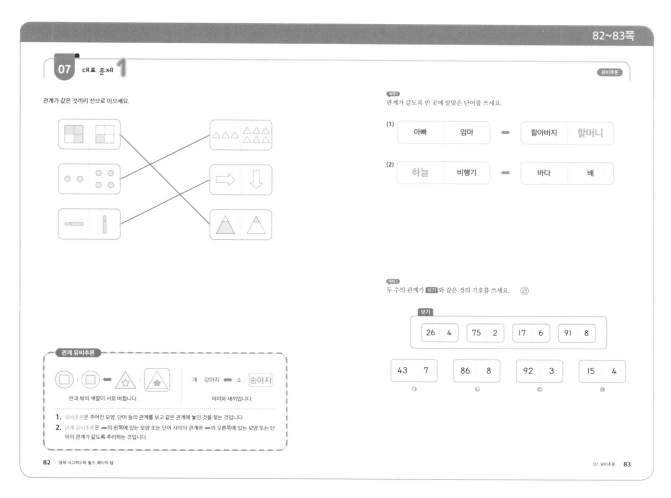

1) ▦ ▦ 과 △ △ 은 반전 관계입니다.

2) ⚬⚬ ⚬⚬ 과 △△△ △△△ 은 왼쪽 도형이 오른

쪽에는 한 줄 더 생깁니다.

3) ⬌ | 과 ⇨ ⬇ 은 왼쪽 모양이 시계

방향으로 회전한 것이 오른쪽 모양입니다.

예제 1

1) 아빠와 엄마의 관계는 할아버지와 할머니의 관계와 같습니다.

2) 배는 바다에 있고 비행기는 하늘에 있습니다.

예제 2

1) 왼쪽 두 자리 수를 이루는 두 숫자의 차가 오른쪽 수가 됩니다.

2) 15를 이루는 두 숫자 1과 5의 차가 4입니다.

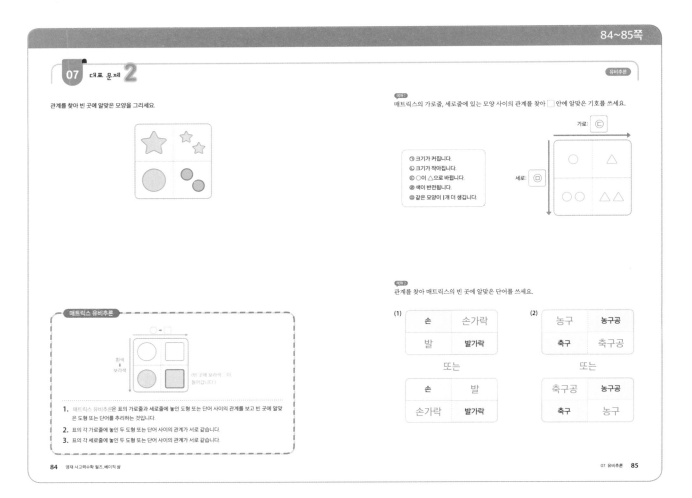

1) 가로줄은 모양이 1개에서 2개로 늘어납니다.

2) 세로줄은 ☆이 ◯로 바뀝니다.

3) 빈 곳에 알맞은 모양은 ◯이 2개입니다.

예제 2

(1) 손과 손가락, 발과 발가락의 관계가 같습니다.

(2) 농구와 농구공, 축구와 축구공의 관계가 같습니다.

1 **(1)** 햄버거를 제외한 나머지는 모두 과일입니다.
  (2) 주전자를 제외한 나머지는 모두 학용품입니다.

2 **(1)** 장갑은 손, 양말은 발에 착용합니다.
  (2) 원숭이는 바나나를 좋아하고, 토끼는 당근을 좋아
     합니다.

3 **(1)** 왼쪽 수를 두 번 더한 수를 오른쪽에 씁니다.
  (2) 왼쪽 수의 십의 자리와 일의 자리 숫자를 바꾼 수를
     오른쪽에 씁니다.

4 ㅁ을 제외한 나머지 도형은 모두 반으로 접으면 완전히
  접힙니다.

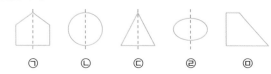

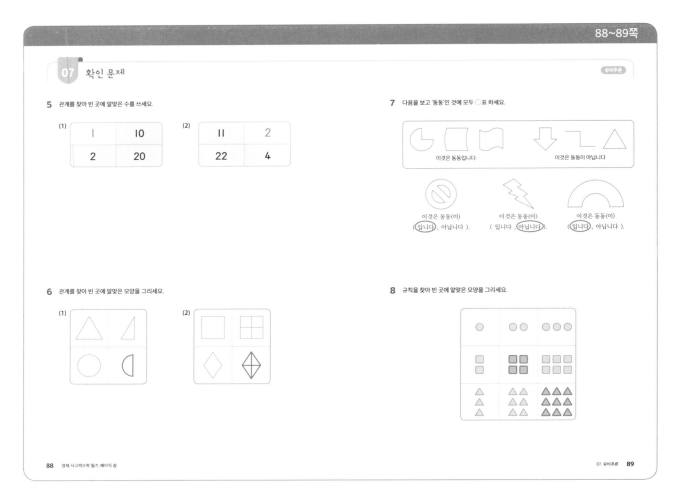

5 **(1)** 오른쪽 수는 왼쪽 수 뒤에 0을 붙입니다.
　(2) 오른쪽 수는 왼쪽 수의 십의 자리 숫자와 일의 자리
　　숫자의 합입니다.

6 **(1)** 왼쪽 모양을 반으로 자른 왼쪽 부분이 오른쪽 모양
　　입니다.
　(2) 왼쪽 모양을 +자 모양으로 4부분으로 나눈 것이
　　오른쪽 모양입니다.

7 '동동'인 것은 곡선이 있는 모양이고, '동동'이 아닌 것은
곡선이 없는 모양입니다.

8 **1)** 가로 방향으로 모양이 옆으로 한 줄씩 늘어납니다.
　2) 세로 방향으로 모양이 ◯ ➡ ☐ ➡ △가 됩니다.
　3) 세로 방향으로 모양이 아래로 한 줄씩 늘어납니다.

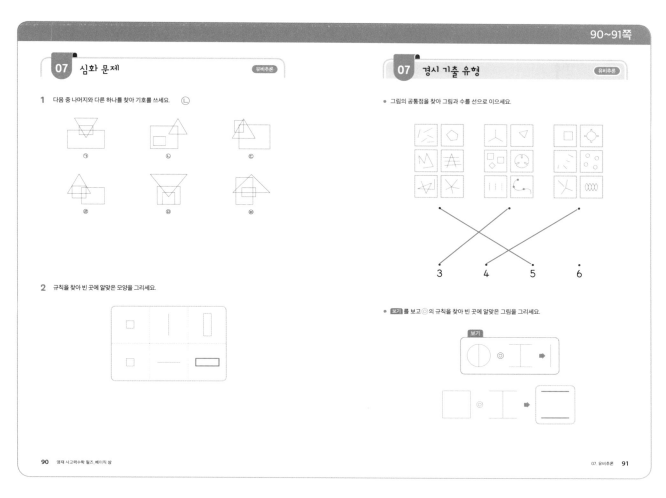

1 **1)** 각 모양은 모두 □ 2개와 △ 1개로 이루어져 있습니다.

2) ㉡을 제외한 나머지 모양은 도형 3개가 동시에 겹쳐져 있습니다.

2 **1)** 위 가로줄에서 왼쪽 사각형은 세로선을 만나면 세로로 긴 사각형이 됩니다.

2) 같은 관계에 있으므로 아래 가로줄의 사각형은 가로선과 만나서 가로로 긴 사각형이 됩니다.

| 오각형,
직선 5개 | 삼각형, 점 3개,
모양 3개 | 사각형, 원 4개,
직선 4개 |

● **1)** ◎의 규칙은 두 모양의 선 중 겹쳐지는 부분을 그리는 것입니다.

2) 문제의 두 모양은 위, 아래의 두 가로선이 겹쳐집니다.

08 리뷰

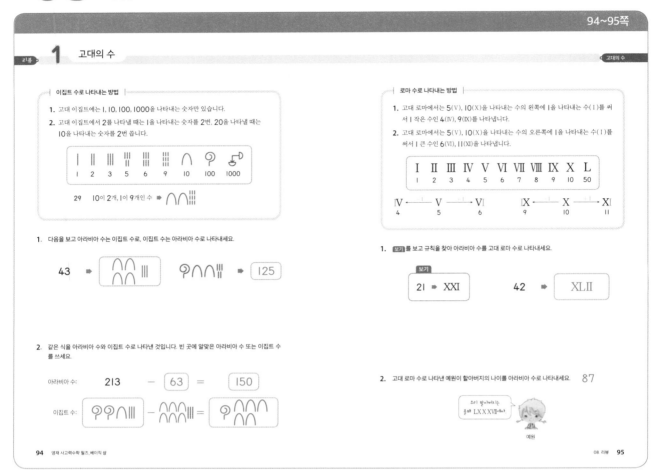

1 1) 43은 10이 4개, 1이 3개입니다. ➡ ⌒⌒ |||

2) ♀(100)이 1개, ⌒(10)이 2개, |(1)이 5개이므로 125입니다.

2 1) 213 − ⓐ = ⓑ

⌒ − ⌒⌒⌒ ||| = ⓓ

2) 두 식이 같은 식이므로 ⓐ=63,
   ⓑ=213−63=150입니다.

3) ⓒ에는 213, ⓓ에는 150을 이집트 수로 나타냅니다.

1 42는 (50−10)과 2가 있습니다. ➡ XLII

2 LXXXVII은 50+10+10+10+7=87입니다.

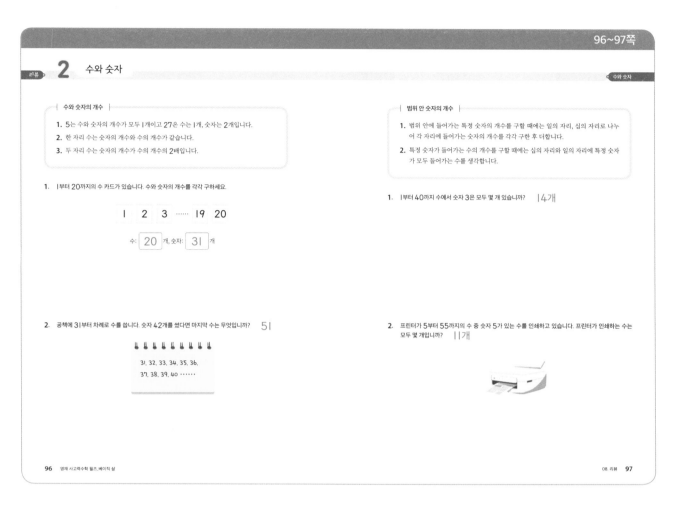

1 1) 1부터 20까지의 수와 숫자의 개수를 구합니다.
2) 한 자리 수 1~9 ➡ 수: 9개, 숫자: 9개
3) 두 자리 수 10~20 ➡ 수: 11개,
　　　　　　　　　숫자: 11+11=22(개)
4) 수의 개수: 20(개)
　　숫자의 개수: 9+22=31(개)

2 1) 두 자리 수의 숫자의 개수는 수의 개수의 2배이므로
숫자 42개로 쓴 수의 개수는 42를 똑같이 반으로
나눈 21개입니다.
2) 31부터 차례로 수 21개를 쓰면 마지막 수는 51입
니다.

1 1) 일의 자리: 3, 13, 23, 33 ➡ 4개
2) 십의 자리: 30 ~ 39 ➡ 10개
3) 숫자의 개수: 4+10=14(개)

2 1) 일의 자리: 5, 15, 25, 35, 45, 55 ➡ 6개
십의 자리: 50 ~ 55 ➡ 6개
2) 일의 자리, 십의 자리 숫자가 모두 5인 수: 55 ➡ 1개
3) 인쇄하는 수: 6+6-1=11(개)

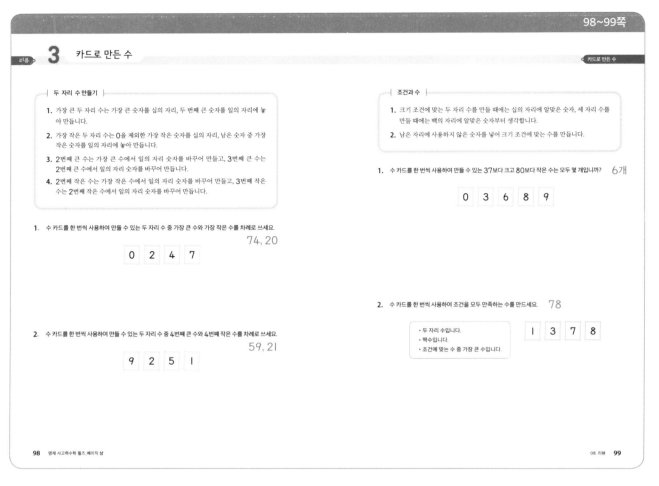

1 **1)** 가장 큰 두 자리 수는 십의 자리에 가장 큰 숫자, 일
의 자리에 두 번째 큰 숫자를 놓아서 만듭니다.
➡ 74

2) 가장 작은 두 자리 수는 십의 자리에 0을 제외한 가
장 작은 숫자, 일의 자리에 남은 숫자 중 가장 작은
숫자를 놓아서 만듭니다. ➡ 20

2 **1)** 가장 큰 수부터 차례로 씁니다.
95, 92, 91, 59 ➡ 4번째 큰 수: 59

2) 가장 작은 수부터 차례로 씁니다.
12, 15, 19, 21 ➡ 4번째 작은 수: 21

1 **1)** 십의 자리 숫자가 3, 6인 경우로 나누어 생각합니다.
① 3□: 38, 39
② 6□: 60, 63, 68, 69

2) 만들 수 있는 수는 모두 2+4=6(개)입니다.

2 **1)** 짝수이므로 일의 자리 숫자는 8입니다. ➡ □8

2) □8의 □에 남은 숫자를 넣어 만들 수 있는 가장 큰
수는 78입니다.

4 수 퍼즐

스도쿠 퍼즐 완성하기

1. 스도쿠 퍼즐은 가로, 세로, 굵은 선으로 나누어진 부분에 각각 다른 수가 한 번씩만 들어가는 퍼즐입니다.
2. 가로, 세로에 빈칸이 1개인 곳을 찾아 알맞은 수를 씁니다.
3. 2에서 수를 쓴 후 다시 남은 빈칸이 1개인 곳에 알맞은 수를 씁니다.
4. 빈칸에 수가 한 번씩만 들어가도록 알맞은 수를 써서 스도쿠를 완성합니다.

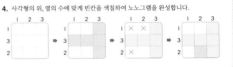

1. 가로, 세로, 굵은 선으로 나누어진 부분에 1, 2, 3, 4가 각각 한 번씩만 들어가도록 빈칸에 알맞은 수를 쓰세요.

3	1	4	2
4	2	3	1
1	4	2	3
2	3	1	4

2. 가로, 세로, 굵은 선으로 나누어진 부분에 1, 2, 3, 4가 각각 한 번씩만 들어가도록 빈칸에 알맞은 수를 쓰세요.

2	3	1	4
4	1	3	2
3	4	2	1
1	2	4	3

노노그램 완성하기

1. 노노그램은 사각형의 위, 옆에 있는 수만큼 연속하여 칸을 색칠하는 퍼즐입니다.
2. 전체를 모두 색칠하는 줄을 먼저 색칠합니다.
3. 절대 색칠하지 않는 칸을 찾아 모두 ×표 합니다.
4. 사각형의 위, 옆의 수에 맞게 빈칸을 색칠하여 노노그램을 완성합니다.

1. 사각형 밖에 있는 수는 그 줄에 연속하여 색칠한 칸의 수를 나타냅니다. 다음 노노그램 퍼즐을 완성하세요.

1

2

1

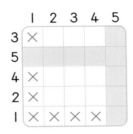 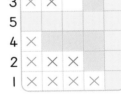 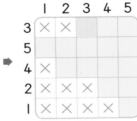

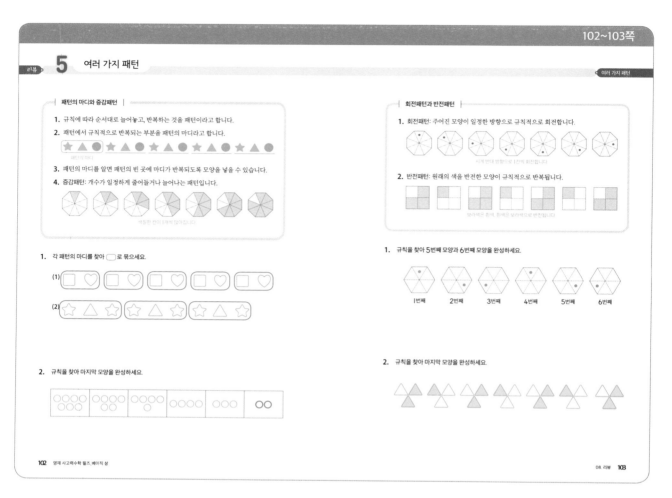

2 ◯이 1개씩 줄어드는 증감패턴입니다.

1 시계 방향(↷)으로 2칸씩 이동합니다.

2 반전패턴입니다.

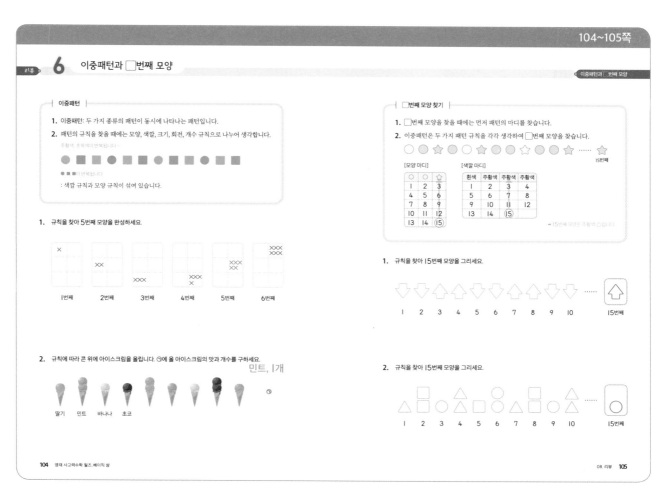

1 **1)** 회전 규칙: 시계 반대 방향 1칸씩,
개수 규칙: 1개씩 많아지는 증감패턴
2) 5번째 모양은 ✕가 5개 있습니다.

2 **1)** 맛 규칙: 딸기, 민트, 바나나, 초코
개수 규칙: 1, 2, 1
2) ㉠에 올 아이스크림은 민트 맛 아이스크림이 1개입
니다.

1

⇩	⇩	⇧	⇧
1	2	3	4
5	6	7	8
9	10	11	12
13	14	15	

2 **1)** 개수 규칙: 1, 2   모양 규칙: △ □, ○

2)

1개	2개
1	2
3	4
5	6
7	8
9	10
11	12
13	14
15	

△	□	○
1	2	3
4	5	6
7	8	9
10	11	12
13	14	15

3) 15번째 모양은 ○이 1개입니다.

7 유비추론

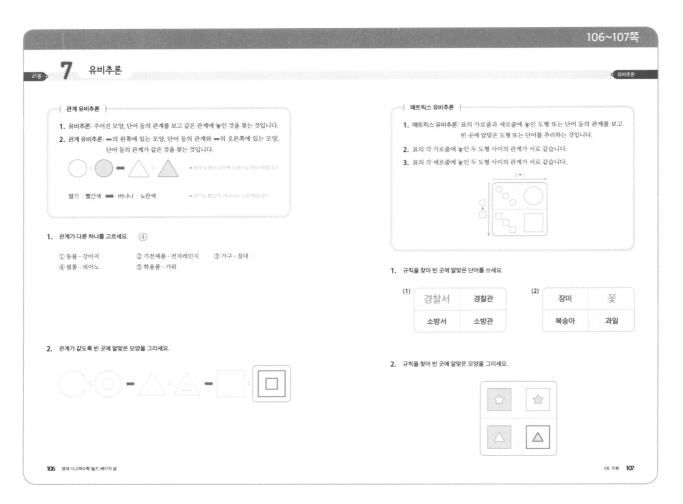

1 ④를 제외한 나머지는 ' – '의 오른쪽 단어가 왼쪽 단어에 포함됩니다.

2 오른쪽 모양은 왼쪽 모양 안에 같은 모양 하나가 생깁니다.

1 (1) 소방관은 소방서, 경찰관은 경찰서에 있습니다.
  (2) 복숭아는 과일, 장미는 꽃입니다.

2 가로줄의 오른쪽 모양은 왼쪽 모양의 반전 모양입니다.

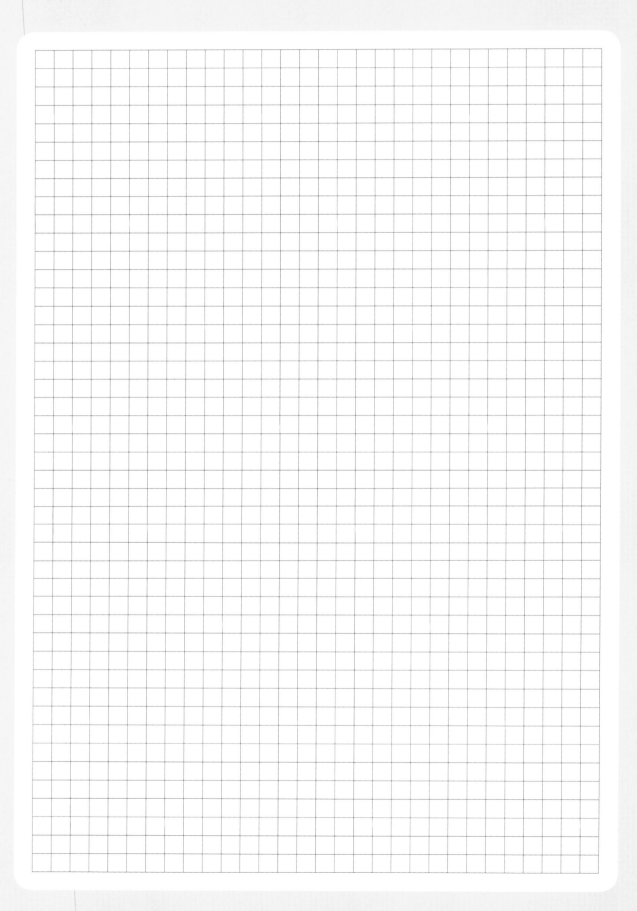

Memo

"TRANSIRE SUUM PECTUS MUNDOQUE POTIRI"

66

자신 위로 올라서
세상을 꽉 잡아라

99